RICHARD GORDON

LA POLARITE

VOS MAINS GUÉRISSENT

Traduit de l'anglais
par Marcel Castera - Kahn

Editions Vivez Soleil

Demandez le Catalogue Gratuit

aux Editions Vivez Soleil

France : BP 18, 74103 Annemasse Cedex
Tél. 50.87.27.09

Suisse : CP 313, 1225 Chêne-Bourg /Genève
Tél. (022) 349.20.92

Titre original : *Your Healings Hands, the Polarity experience.*
Illustrations : Meg Studer

Couverture : Les 4 Lunes

ISBN : 2-88058-018-8
Neuvième édition : 1996

Note : *La méthode présentée n'a pas la prétention de permettre le diagnostic, ou tout traitement, ni même de le prescrire. Elle ne peut être tenue pour responsable de vos expériences en la pratiquant.*

PRÉSENTATION

Dans les pays occidentaux, on prend actuellement conscience que les techniques de massage et de toucher représentent un extraordinaire moyen d'améliorer la santé en respectant le principe hippocratique du «primum non nocere» (d'abord ne pas nuire).

Le but de toutes les méthodes de santé, qui sont complémentaires les unes des autres, est de permettre à l'individu de conserver son bien-être en toutes circonstances, de maintenir sa résistance immunologique et de se doter ainsi de la meilleure assurance-maladie qui soit : une bonne capacité d'adaptation des mécanismes physiologiques naturels du corps.

Une conception mécaniste du corps humain a fait croire, pendant quelques décennies, que notre organisme pouvait être considéré comme une sorte de machine qui s'usait avec le temps et dont il fallait remplacer des pièces par des prothèses mécaniques ou suppléer aux fonctions déficientes par des médicaments chimiques ou des hormones de synthèse. Cette vision rationnaliste a fait oublier que le corps n'est pas seulement une extraordinaire machine de précision mais qu'il contient, en lui-même, toute l'équipe de mécaniciens, d'artisans, d'ingénieurs et de chimistes capables de réparer à tout moment chacune des parties du corps. Nos tissus et nos organes se renouvellent constamment ; ils sont conçus par la nature pour nous permettre de rester jeune et en bonne santé à tout moment.

Il est donc possible de mourir par choix personnel volontaire, en jouissant d'une parfaite vitalité, plutôt que faire l'expérience d'un corps tellement détérioré qu'il ne fonctionne plus.

Le but des méthodes naturelles de santé est de soutenir notre organisme pour qu'il puisse accomplir lui-même son travail de guérison. Nous contenons le meilleur médecin du monde, qui peut assurer l'harmonie de toutes les fonctions de notre corps pour autant que nous ne fassions pas obstacle à son travail par des habitudes de vie éloignées des lois de la nature.

Lorsque, par notre façon de penser, de ressentir et d'agir, nous empêchons ce médecin intérieur d'accomplir son travail d'équilibration, nous intoxiquons notre organisme et faisons l'expérience de symptômes qui constituent de véritables «sonnettes d'alarme» ayant pour but de nous avertir de notre déviation des lois naturelles, de notre irrespect pour notre corps. A ce moment, nous avons le choix : ou bien couper les symptômes par des thérapeutiques suppressives ou alors comprendre le message, modifier notre mode de vie et donner l'occasion à nos capacités naturelles de guérison de reconstituer un état de santé parfait.

N'est-il pas extraordinaire de savoir que le corps fabrique naturellement toutes les substances utilisées en thérapeutique : cortisone, analgésiques, anti-inflammatoires, hormones, vitamines, etc. Lorsqu'une déficience s'installe, n'est-il pas plus sage d'aider notre corps à corriger son déséquilibre plutôt que de lui imposer une thérapeutique externe forcément déséquilibrante puisqu'elle fait le travail du corps à sa place, le rendant toujours plus dépendant d'une aide extérieure ?

Pour que notre corps maintienne l'harmonie de ses fonctions, il est capital que sa circulation énergétique se fasse avec facilité et fluidité.

La polarité représente, par sa simplicité et son efficacité pratique, l'un des moyens de choix pour influencer positivement cette circulation d'énergie et, par conséquent, permettre une constante rééquilibration. Celle-ci se traduit par une sensation de bien-être dont quiconque peut faire l'expérience après une séance de polarité.

A l'heure où tant de structures économiques tirent leur profit d'un mode de vie artificiel et de l'exploitation des troubles de santé qu'il entraîne, il est du ressort de chacun d'apprendre, par un travail personnel, à devenir l'artisan de sa santé.

Dans cet apprentissage, la polarité peut être un précieux professeur.

Puissiez-vous, amis lecteurs, découvrir les immenses ressources de cette technique de toucher qui transformera votre vie quotidienne et celle de vos proches en une suite d'expériences vous conduisant vers toujours plus de bien-être et de joie de vivre !

Les Éditions Vivez Soleil

Table des matières

Dédicace

Je dédie cet ouvrage à tous mes professeurs et mes amis
sans qui il n'aurait pas vu le jour.

Plus particulièrement, c'est à toi, lecteur,
que je l'adresse,
et à la découverte du pouvoir de tes propres mains.

Préface

Cet ouvrage constitue une introduction à la méthode d'équilibrage énergétique polarisant. Je dois bien insister sur le fait qu'il ne s'agit que d'une introduction, car le domaine du système d'énergie polarisée est considérable, tel un continent inconnu ou même un champ nouveau de la science. Il existe à son propos une recherche théorique notoire, beaucoup plus qu'il n'est possible d'exposer en ces quelques pages. L'intention de ce texte n'en reste pas moins de vous faire découvrir la méthode d'équilibrage énergétique polarisant, de vous permettre d'en explorer le potentiel bienfaisant, et par-là-même d'étendre les limites de l'espace de vos expériences personnelles.

Un don merveilleux : vos mains

Vos mains,

Grâce à elles, vous êtes capable
de diriger le flot d'amour de vos cœurs
afin d'alléger toute souffrance
autour de vous.

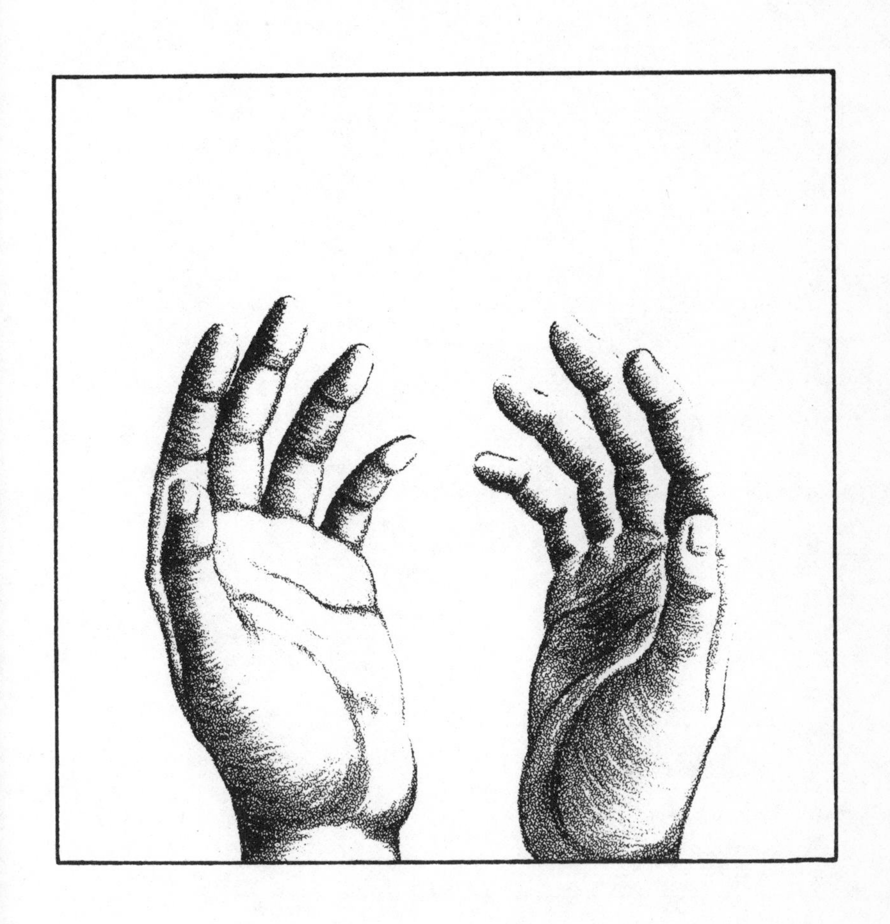

Introduction

Il était une fois un petit garçon qui dans sa main découvrit une graine. Une toute petite graine. Il la mit en terre. Elle germa. Quelques semaines plus tard, il s'écria : "Regarde, cette petite graine est devenue une plante avec des branches vertes." Quelques jours après, la plante lança de gracieuses pousses en toutes directions. Le petit garçon s'exclama : "Ah ! voilà une plante verte avec de bien belles branches." Et jusqu'à l'été, c'est ainsi qu'il la vit. Lorsqu'elle se couvrit de fleurs, d'une multitude de fleurs jaunes, or, argent, oranges et pourpres, la considérant avec joie il déclara : "Maintenant, je sais ce que c'est, c'est une plante verte avec de belles branches et beaucoup de fleurs de toutes les couleurs". L'automne venu, la plante donna de magnifiques fruits d'une exquise saveur.

Face à la réalité de l'énergie humaine polarisée, je fus tel cet enfant admirant sa plante. A chaque nouvelle rencontre, elle se révéla encore plus merveilleuse. Tenter de décrire cela à ceux qui n'en ont pas eu l'expérience, c'est comme parler d'une pierre précieuse à celui qui jamais ne l'a eue entre ses doigts pour l'admirer, ou bien s'acharner à peindre la réalité d'une couleur à un aveugle : peut-être saisira-t-il l'idée de l'expérience dont vous lui faites part avec vos mots, néanmoins, tant que ses yeux ne la verront point, il ne pourra pas l'appréhender.

Savoir que de mes propres mains quelque chose émanait, quelque chose que je pouvais offrir aux autres afin de les aider à vivre leur vie plus sainement et plus pleinement, a été dans la mienne la source inépuisable d'une intense joie. Face à la souffrance de l'être rencontré, je sais comment soulager cet ami.

Me souvenir de la saisissante surprise que cette minuscule semence par moi mise à germer me procura lors de son éclosion, de son épanouissement et de sa floraison, tant en si peu de temps, m'émerveille encore.

Dès le lycée, je sentis combien mes études étaient trop abstraites pour sur le champ vraiment nourrir ma vie. Je désirais trop sentir personnellement ce que j'apprenais pour exprimer ma puissance créatrice, et non pas simplement ressortir les faits ingurgités avec pour seul horizon la réussite aux examens. J'avais l'intention de me créer un mode de vie simple et satisfaisant qui me permettrait de m'exprimer avec amour et sincérité, de m'affranchir de mes peurs, et d'être à même d'explorer les mystères du fond de mon être et de l'immensité de l'univers. Pour suivre cette voie, je quittais le lycée et je m'engageais dans une recherche non académique. Depuis plus de dix années, j'ai été entièrement impliqué par le mouvement du développement du potentiel humain. Néanmoins, mon attention particulière pour la médecine naturelle et le système d'équilibrage énergétique polarisant se renforça dès que j'eus pris claire conscience de ma propre santé.

De Californie, je partis m'installer dans les montagnes mexicaines, non loin du village de Tepotzlàn. Là, je découvris des gens animés par un esprit agréable, libres de la démarche neurotique et paranoïaque caractéristique de la société de mes vingt premières années de vie à Los Angeles. Je me consacrais au yoga, étudiais la diététique, les herbes médicinales, expérimentais le jeûne, et me plongeais dans les textes sacrés. Afin de compléter cette nouvelle éducation, je me rendis à l'Ecole Naturelle Christos située à Taos dans le Nouveau Mexique, et j'y suivis assidûment l'enseignement du Dr William LeSassier. Ainsi j'appris la médecine par les plantes, les thérapies telles que l'acupression, le massage réflexe, le "shiatsu", le massage musculaire profond, le massage lymphatique, quelques manipulations particulières de la chiropractie, ainsi que des méthodes de relaxation, de visualisation, et des moyens de guérir. L'annonce de l'étude de l'équilibrage énergétique polarisant n'éveilla rien de particulier en moi, car toutes ces approches médicales me semblaient également passionnantes.

Après deux jours consacrés à l'énergie polarisée, donc au matin du troisième jour, je me sentis vraiment mal dans ma peau, assez pour ne désirer voir personne. Sur ce, Valérie, une amie, me proposa une session complète de traitement énergétique polarisant.

Pendant trois-quarts d'heure, elle appliqua soigneusement ce que nous venions d'apprendre, et cela fut suffisant pour me faire passer d'un état lamentable à une merveilleuse sensation de bien-être. Ce changement radical m'impressionna fortement!

J'avais compris que l'approche par la polarisation énergétique constituait un système global, c'est-à-dire concerné par la totalité de l'être, ses pensées, ses attitudes, ses besoins alimentaires, intégrant la pratique d'exercices originaux : un "yoga polarisé", et, bien sûr, par la session d'équilibrage énergétique polarisant elle-même, de manière à favoriser l'action curative du corps par lui-même. Lorsque je m'engageais dans la pratique de sessions de polarisation, j'eus une difficulté énorme à accepter le fait que mes mains placées sur quelqu'un puissent lui être d'un bénéfice certain. J'avais cru comprendre que seule une personne extrêmement douée pouvait guérir par l'effet de ses mains. Malgré une année de constante méfiance, l'excellence des résultats réussit à me convaincre de la validité de ma pratique.

Ainsi, une semaine à peine après avoir terminé ce cours de polarisation énergétique, je rencontrais une femme affectée, selon son médecin, d'une grossesse tubaire. Je lui racontais ce que je venais à peine d'apprendre, et pour calmer ses douleurs, je lui proposais une session générale d'équilibrage énergétique polarisant. "Tout, je tenterais n'importe quoi pour aller mieux" me répondit-elle.

Une demi-heure plus tard, elle me confia : "Je n'arrive pas à me convaincre qu'il s'agit là de mes propres mains ! Je n'arrive pas à croire que ce sont mes pieds ! Je me sens merveilleusement bien !" Quelques jours après, elle revint m'offrir du pain fait de ses mains, et elle m'annonça que son médecin – sans rien y comprendre – avait noté une nette et décisive amélioration de son état.

Pendant la semaine d'apprentissage, Dr LeSassier nous montra comment effectuer quelques manipulations cervicales. Devant le cas d'une femme au cou manifestement trop contracté, il nous indiqua que plusieurs semaines de massage profond seraient indispensables avant de réussir une remise en place parfaite. Après cette première manipulation, cette femme me signala la peine dans sa nuque; je mis en pratique quelques exercices de polarisation énergétique. Un quart d'heure plus tard, je demandais au Dr LeSassier de venir vérifier mon intervention. Surpris, il constata la remise en place des vertèbres cervicales et il me questionna sur la méthode employée. "Je lui ai fait un peu de polarisation" répondis-je.

Depuis, j'ai souvent été témoin de tels réajustements osseux après une session de polarisation énergétique.

Une fois, je commençais un de mes séminaires lorsqu'une participante me dit combien son état physique n'avait fait qu'empirer malgré quinze années de soins médicaux attentifs, ce qui la plongeait dans un désespoir permanent. Une fois donné ma brève introduction à ce cours, je choisis cinq personnes parmi ces nouveaux étudiants pour faire le Cercle de Polarisation Energétique autour d'elle. Cet exercice terminé, elle montra un visage rajeuni de dix années, vraiment détendu, et des mains qui ne tremblaient plus. Elle précisa n'avoir pas connu un tel calme, une telle impression de paix depuis trente ans. Pour autant qu'elle puisse se souvenir, jamais elle n'avait reposé à plat dos sans que ses genoux ne soient en l'air. Et, ajouta-t-elle, pour la première fois depuis son enfance, elle avait transpiré naturellement, sans l'influence de médicaments. La semaine suivante, elle revint nous annoncer qu'une radiographie prise juste après la séance révélait le redressement de sa colonne vertébrale.

Tant de fois, avec surprise et émotion j'ai vécu l'efficacité de la méthode. Par exemple le cas de cette femme qui depuis trois semaines attendait sa menstruation et venait d'apprendre de son médecin qu'elle avait une infection utérine. Je débutais normalement une séance de traitement énergétique polarisant lorsque quatre enfants présents se proposèrent afin de m'aider; je les plaçais selon le Cercle de Polarisation. Vingt minutes plus tard, son flux menstruel se déclencha, et elle se sentit vraiment soulagée. Elle précisa comment, chaque fois qu'un des enfants l'avait touchée, elle ressentit un éclair de lumière dorée circuler dans tout son corps.

Pendant une présentation, je montrais comment faire le "bercement du ventre" à une femme d'une quarantaine d'années. Au moment où je cessais le mouvement, une énergie considérable traversa mes mains. Je voulus savoir si elle sentait un picotement dans l'abdomen. "Non" répondit-elle. Les effets de la polarisation énergétique sont très difficiles à prévoir, cependant, il y a toujours quelque chose qui se produit. Par conséquent, je lui demandais si elle sentait de l'énergie quelque part dans son corps. "Oui", dit-elle "je sens un agréable remue-ménage dans mes mains". J'insistais : "Y a-t-il quelque raison à cette manifestation d'énergie dans vos mains ?". Elle hocha négativement la tête. Dix minutes plus tard, la conférence ayant repris, elle s'exclama toute excitée : "Mes mains ! Elles n'ont plus de rhumatisme !" Elle était tellement habituée à cette affliction qu'elle ne l'avait même pas mentionnée auparavant.

C'est toujours avec la même surprise que je découvris que la polarisation énergétique peut aussi alléger l'épreuve d'un choc émotionnel. L'exemple vraiment flagrant me fut donné par cet homme qui après avoir pris du LSD se mit à juger sa vie comme un échec total. Suite à une courte séance de polarisation, il se redressa vivement, s'assit, et me fit remarquer qu'il se sentait bien mieux : "Vraiment, j'exagérais ces trucs là" avoua-t-il avec surprise. En effet, la polarisation énergétique devait l'avoir décontracté, même recentré, pour le sortir de ses pensées et fantasmes morbides causés par l'influence du puissant psychotropique.

Je me souviens aussi de cette fois où je remarquais comment la pratique quotidienne d'un simple exercice de polarisation, le "bercement du ventre". fit merveille sur un enfant très agité. Chaque matin, à la même heure, l'enfant perdait tout contrôle de lui-même. Pour le médecin, il s'agissait là d'un comportement de type hystérique. J'enseignais le "bercement du ventre" à l'infirmière. Au début, elle se vit obligée d'attraper l'enfant, de le forcer à se coucher sur le dos pour pratiquer cet exercice. Quelques minutes plus tard, l'enfant s'endormait paisiblement pour une à deux heures. Il se réveillait calme et capable de jouer avec les autres enfants, et parfois il s'excusait auprès d'eux de sa brutalité du matin. Devant ce résultat impressionnant, l'infirmière enseigna le mouvement à la mère de l'enfant; l'amélioration générale fut remarquable.

Il faut préciser que les effets de la polarisation énergétique ne sont pas chaque fois aussi immédiats, ou tout aussi évidents. Dans le cas de personnes affligées d'une affection chronique, il devient indispensable de programmer une série de séances, de conseiller une alimentation meilleure, d'introduire des activités corporelles, et surtout de faire évoluer vers des attitudes et des sentiments plus positifs.

Parfois même, il y aura une amélioration sur-le-champ, puis la personne se sentira encore plus mal qu'auparavant. Sur d'autres, la polarisation ne semblera avoir aucun effet; par exemple, c'est le cas de mon voisin qui au cours de sa séance de gymnastique journalière se releva le dos bloqué. Il souffrait énormément; il ne pouvait plus se retourner dans son lit. Je mis en œuvre une session complète d'équilibrage énergétique polarisant; en vain. Troublé, j'appelais un de mes professeurs. Elle éclata de rire : "Oh ! Avais-je omis de vous le dire ? Sur un dos, la polarisation n'agit visiblement qu'au bout de vingt-quatre heures !" A ma grande surprise, le lendemain matin, j'aperçus mon voisin en train de fendre du bois.

Tout ce que je vous ai confié ici n'est en fait qu'un faible échantillonage extrait de mes nombreuses expériences de praticien. Néanmoins, chaque fois que j'ai assisté à des effets dus à la polarisation bien plus marqués que je n'aurais pu les prévoir, ma foi s'est confirmée.

Maintenant, j'admets sans peine que chacun de nous a le pouvoir d'aider à guérir, non pas magiquement, mais grâce à une science énergétique simple, à une énergie vivifiée par notre amour.

Recevoir

Un film photographique, une fois exposé à la lumière,
développé, puis fixé, n'est plus sensible.

Mettez de côté vos concepts exposés, développés,
et fixés, et acceptez ce cadeau.

Pour l'instant, videz votre coupe
pour qu'elle puisse être remplie.

PREMIÈRE PARTIE

La polarisation énergétique

Equilibrer l'énergie et la polariser résulte d'une méthode simple et efficace pour favoriser une profonde et saine détente de l'organisme. Elle est facile à apprendre, difficile à saisir, sans danger et amusante à mettre en œuvre.

En se servant des courants de vie circulant en permanence au travers des mains de chacun de nous, nous pouvons débloquer et équilibrer l'énergie d'une autre personne. Aussi longtemps que rien n'empêchera cette énergie de circuler librement, notre vie sera paisible, heureuse, débordante d'amour et de santé.

La force-de-vie

La force-de-vie est une énergie subtile de nature électromagnétique. Il s'agit du courant animateur de la vie. Il fait partie de la réalité physiologique de notre corps.

Au travers des siècles, selon leur perception, les hommes la désignèrent sous différents noms. Elle est connue depuis très longtemps. Jésus Christ disait : “La Lumière”. Les savants soviétiques qui l'ont perçue dans les processus psychiques la qualifient “d'énergie bioplasmique”. Wilhem Reich la nomma “orgone”. Les yogis d'Inde orientale l'identifient par “pran” ou “prana”. Reichenbach parlait de “force odique”. Pour les Kahunas, elle est “mana”. Paracelse l'appela “munia”.

Les Chinois ont pour elle le terme "chi" ou "ki". Dans leurs manuscrits les alchimistes mentionnent le "fluide vital". Eeman la décrit telle la "force X". Bruner définit une "énergie biocosmique". Hippocrate la qualifia de "vis medicatrix naturae" (la force de vie naturelle). On lui a aussi attribué ces noms : bio-énergie, énergie cosmique, force vitale, éther, et bien d'autres, car, j'en suis convaincu, la liste est encore bien longue.

Pour plus de simplicité, nous la désignerons par "force-de-vie", ou bien "énergie".

La force-de-vie parcourt le corps comme si elle empruntait un invisible système circulatoire. Elle charge de vie toutes les cellules rencontrées au passage. Ce courant énergétique peut être sérieusement affaibli et parfois bloqué par les tensions. L'acupuncture est la science de la localisation très précise des points du corps où ont lieu ces blocages et, par stimulation avec des aiguilles, du rétablissement de la libre circulation vitale. Dans notre méthode d'équilibrage de l'énergie polarisée, des contacts physiques et des impositions sans toucher sont mis en œuvre afin de propulser l'énergie dans le corps tout entier pour qu'elle libère les zones bloquées. Alors seulement, le flot et la circulation de la force-de-vie seront conformes à tous les besoins de l'homme.

L'énergie, c'est de l'énergie. Il n'existe pas de mauvaise énergie. L'énergie est seulement bien ou mal dirigée. Notre méthode propulse la force-de-vie sur ses voies naturelles pour libérer les "nœuds énergétiques" créés par des tensions physiques ou émotionnelles. L'équilibrage de l'énergie polarisée conduit, à tous niveaux, à une profonde et saine détente du corps.

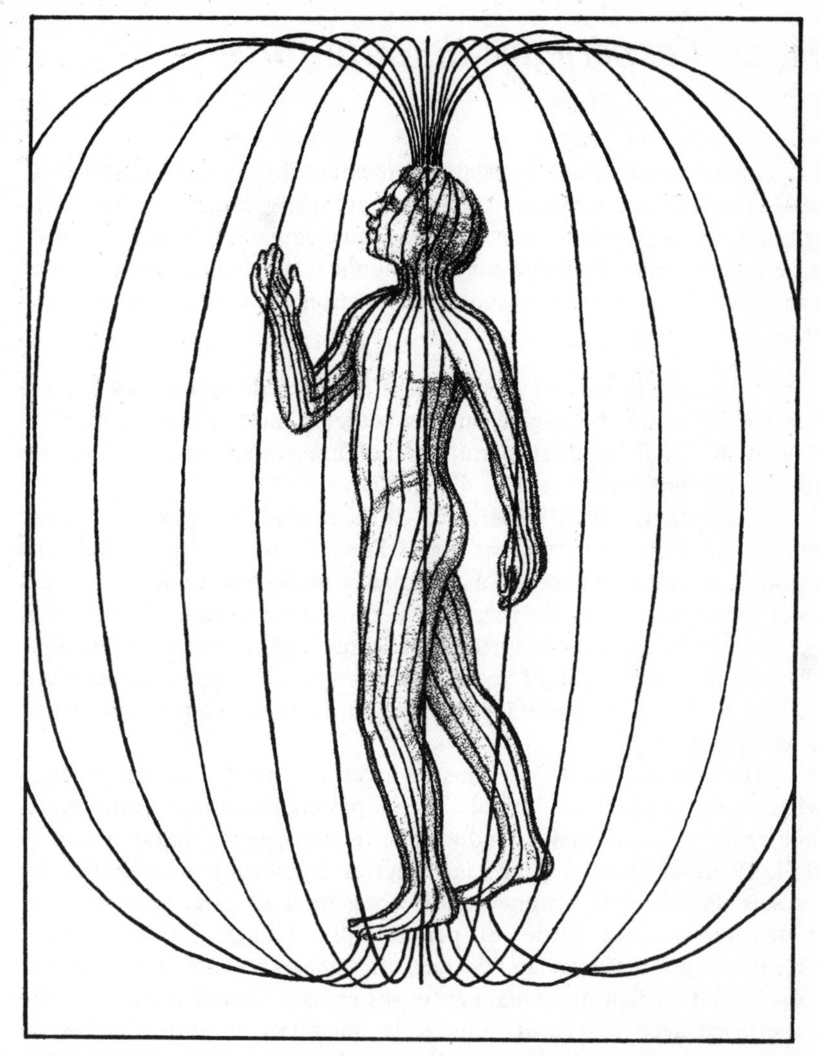

La force de vie peut être considérée comme un champ d'énergie actif entourant et pénétrant le corps. C'est le courant animé de vie naturellement dirigé par l'intelligence de l'homme.

Faites l'expérience de cette force

La plupart d'entre nous se demandent pourquoi ils n'ont jamais senti cette force-de-vie. Imaginons une société dans laquelle le rouge et l'orange portent le même nom, sont une seule couleur, le rouge. Un jour, un étranger arrive. Il insiste sur le fait qu'il y a là deux couleurs et non une seule. Peut-être alors que sa distinction apparaîtra clairement à chacun.

Et bien ! la force-de-vie a toujours existé dans nos vies, mais, à l'image de ce récit imaginé sur les couleurs, nous n'avons pas eu le besoin de l'individualiser parmi les nombreuses sensations physiques que nous avons pris l'habitude d'identifier.

Cependant, faire l'expérience de la force-de-vie peut être d'une grande simplicité. Frottez vos mains l'une contre l'autre pendant une minute. Ensuite, placez-les à quelques centimètres l'une de l'autre, puis commencez à les éloigner lentement de deux à quinze centimètres. Remarquez la distance à laquelle vous sentez le plus fortement "quelque chose", une énergie, dans vos mains. Il s'agira d'un picotement, d'une vibration, d'une impression de chaud ou de froid, comme un champ magnétique.

Demandez à un de vos amis de jouer avec vous. Lui aussi frottera ses paumes pendant une minute, puis il placera une de ses mains immobile entre vos deux mains tendues que vous éloignerez ou rapprocherez de la sienne de deux à quinze centimètres. Selon toute probabilité, que ce soit une seconde ou une minute après qu'il ait placé sa main, vous ressentirez quelque chose. Si, par exemple, il s'agit d'un picotement près de vos pouces, votre ami devrait, lui, signaler comme un picotement exactement au lieu de sa main entre vos pouces. Si vous pratiquez cette expérience avec vos connaissances, les membres de votre famille, ou tout autre personne, cette sensation de fourmillement pourra devenir bien plus manifeste que vous ne l'imaginez par comparaison aux autres fois. Souvent, j'ai moi-même été surpris par l'incroyable jaillissement

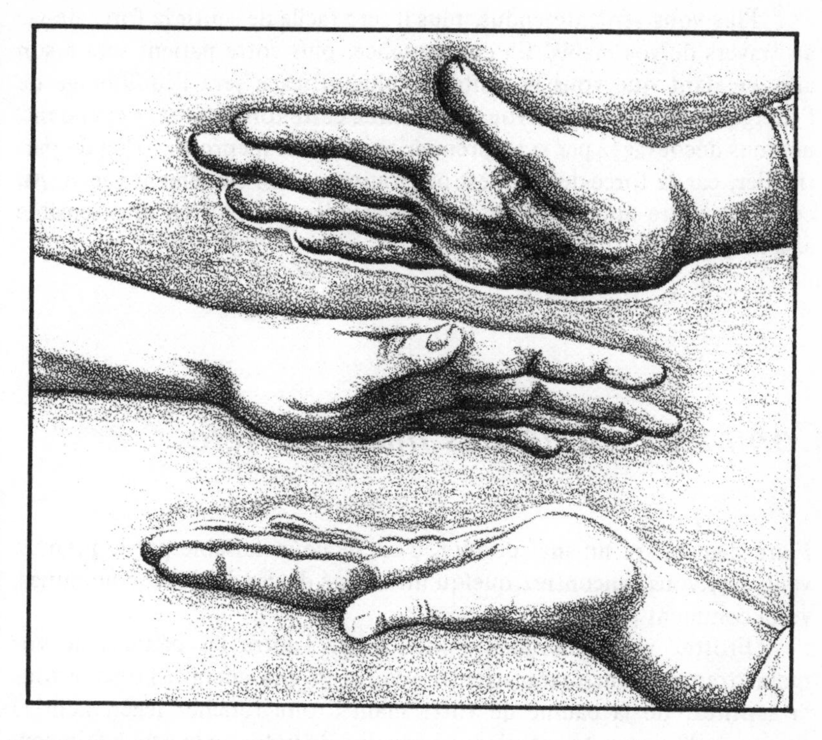

Parfois, l'expérience de la force de vie est presque imperceptible, alors qu'à d'autres moments elle s'impose intensément. Si vous ne ressentez rien la première fois, essayez avec une autre personnel.

d'énergie traversant mes mains pendant que j'accomplissais un exercice de polarisation. Mes sensations coïncidaient avec celles de la personne traitée, qui elle ressentait les à-coups de cette énergie parcourant à la façon d'une vague son corps, le réveillant ici et là par de surprenants fourmillements.

Plus vous serez détendus, plus il sera facile de sentir la force-de-vie au travers de vos mains. En conséquence, plus votre patient sera à son aise pendant que vous le traiterez, plus efficace sera l'équilibrage de l'énergie polarisée, et plus vous ressentirez cette force-de-vie. Cependant, ne vous découragez pas si au premier abord vous n'éprouvez rien de particulier, car la force-de-vie n'est pas toujours aussi clairement vécue. Au cours de votre apprentissage, vous deviendrez de plus en plus sensible à sa présence.

Comment calmer les maux de tête

Faire disparaître un mal de tête, c'est facile et faisable par le premier venu ! Si vous rencontrez quelqu'un affligé de ces douleurs communes, voici comment procéder.

Frottez vigoureusement l'une contre l'autre les paumes de vos mains tout en demeurant attentif à votre propre énergie. Lorsque vous la sentirez, de la paume de votre main droite touchez légèrement la nuque de la personne, et placez la paume de votre main gauche un centimètre devant son front. Demandez-lui de respirer dix fois de suite profondément en marquant chaque fois l'expiration.

Cette respiration accentuée a pour effet d'intensifier la sensation de force-de-vie. Si rien ne survient, faites reprendre une fois encore cette hyperventilation. Tant que vous ne sentirez pas un fort échange d'énergie, gardez vos mains en place. Pour la plupart des maux de tête, la disparition prend de trois à cinq minutes. Pour les autres, ceux qui persistent, il faudra entreprendre une séance plus complète, par exemple celle détaillée plus loin (page 00).

Une fois l'objectif atteint, secouez fortement vos mains, comme si vous aspergiez violemment l'espace, puis, afin d'éliminer toute énergie statique, lavez-les à l'eau froide.

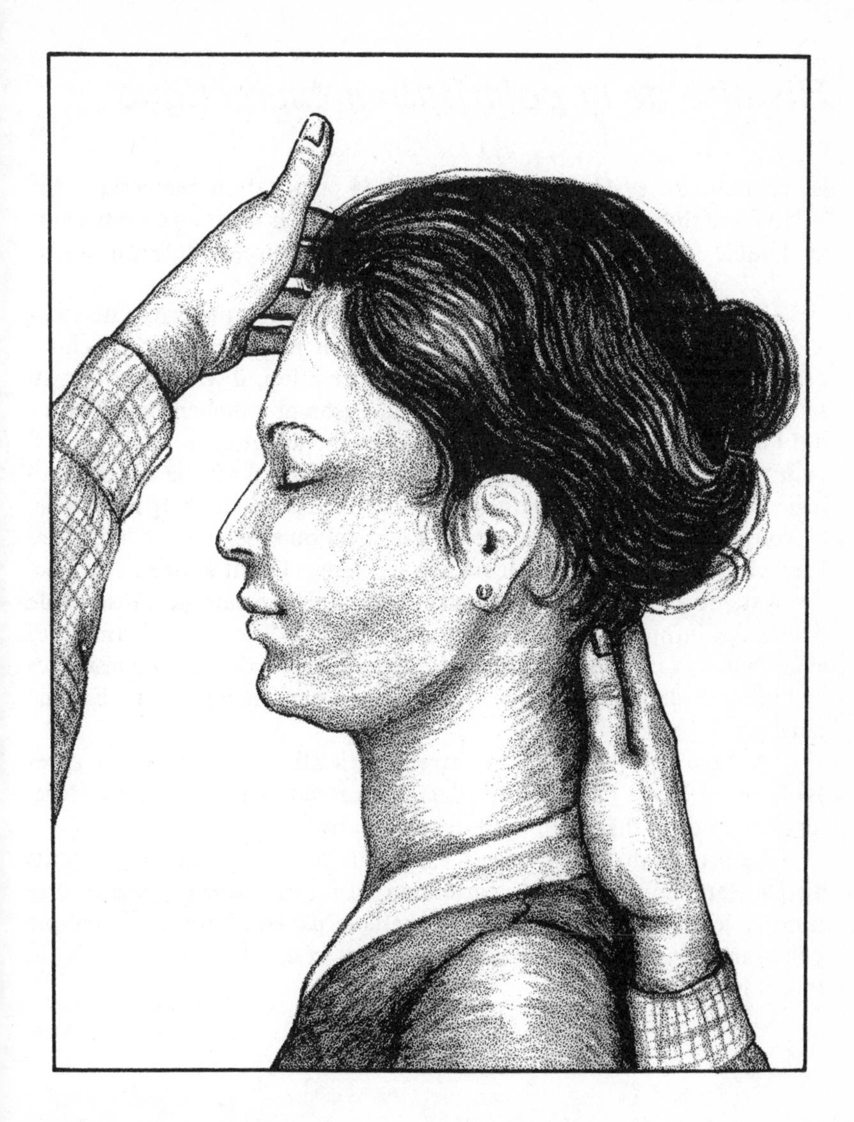

Eliminez les maux de tête : Avec votre main gauche ainsi placée, sans contact avec le front, vous percevrez encore mieux l'effet de la force-de-vie.

Histoire de la polarisation énergétique

Le créateur du système actuel basé sur la polarisation énergétique fut le Dr Randolph Stone. Né en Autriche en 1890, il vécut aux Etats-Unis, sa famille ayant émigré pour s'installer à Chicago définitivement.

Randolph Stone devint médecin avec une pratique privée de 1914 à 1972. Il était diplômé en osthéopatie, en naturopatie et en chiropractie. Cependant, malgré cette ample formation, il se considérait peu satisfait par le mode d'approche de la guérison pratiqué en Occident, ce qui l'engagea à étudier d'autres techniques thérapeutiques. En France, il apprit l'acupuncture et l'herboristerie. En Orient, il s'initia à la réflexologie et à différentes techniques de massage. Au cours de cette recherche, il trouva l'ancien art sagyrique de guérir tel qu'enseigné par le célèbre Paracelsus Van Hohenheim, lequel en son temps l'avait appris en Arabie. Ce système fit prendre conscience à Randolph Stone de l'essentielle réalité des infimes courants électromagnétiques du corps humain. Il lui avait fallu soixante années pour assimiler l'ensemble de ces connaissances et l'intégrer dans la méthode qu'il désigna par Thérapie par l'Energie polarisée.

A l'âge de quatre-vingt-quatre ans, il alla vivre aux Indes après avoir choisi Pierre Pannetier, médecin naturopathe, pour diriger le développement de la thérapie par l'Energie polarisée.

Le propos de cet ouvrage n'est pas de présenter les enseignements du Dr Randolph Stone. L'information ici fournie dégage les améliorations et les variantes valables de la thérapie par équilibrage énergétique polarisant, donc son évolution depuis les résultats remarquables du travail initial du Dr Stone.

Principe de la polarisation énergétique

La Terre, le Soleil, ont des pôles magnétiques Nord et Sud. Ces pôles existent aussi dans notre corps. En fait, tout ce qui se dresse sur notre planète se signale par une charge positive en haut et une charge négative en bas.

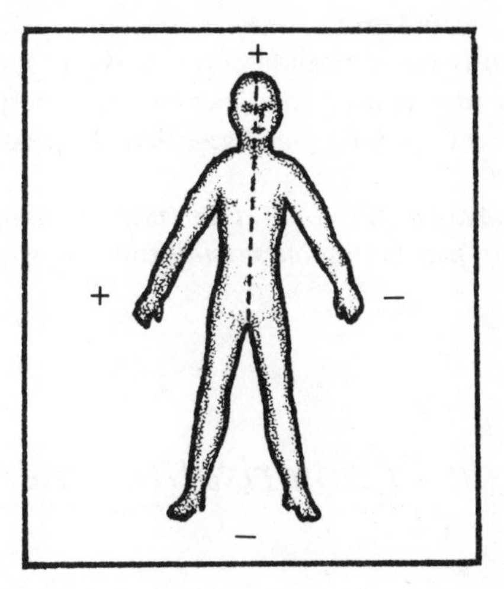

La polarité du corps respecte les principes naturels de l'électromagnétisme.

Le sommet du crâne porte une charge positive,
les pieds sont porteurs de charges négatives,
le côté droit s'annonce chargé positivement,
le côté gauche lui oppose sa charge négative.

(Il est possible de mesurer ces charges avec un voltmètre très sensible.)

Lorsqu'on approche le pôle positif d'un aimant du pôle négatif d'un autre aimant, entre eux se manifeste un courant d'attraction. De même, l'énergie polarisée se dirige magnétiquement le long de lignes de force pour établir et fixer les polarités vitales du corps.

Toute zone de blocage à cette circulation provoque un déséquilibre du champ énergétique naturel du corps, déséquilibre que l'on corrige en reliant :

- *la main droite (+) avec le côté gauche (–)*
- *la main gauche (–) avec le côté droit (+).*

Par conséquent, lorsque vous pratiquerez, votre main droite se placera sur le côté gauche de la personne recevant le traitement, et votre main gauche sur son côté droit.

Pour agir selon l'axe vertical du corps, la main gauche (–) se situera toujours sur la partie haute, zone relativement positive, et la main droite (+) demeurera toujours plus basse dans la région de charge relativement négative.

N'oubliez jamais qu'au cours d'un travail le long du corps, votre main gauche sera placée toujours au-dessus de votre main droite.

Les effets de la polarisation énergétique

Lorsque vous entreprendrez un équilibrage énergétique polarisant, les effets les plus notables seront perçus chez les gens qui en auront le plus besoin. Une personne en bonne santé, heureuse de vivre, se sentira reposée et paisible, alors qu'à l'opposé une personne insatisfaite et mal dans son corps éprouvera une nouvelle sensation de bien-être.

L'équilibrage énergétique polarisant permet une recharge vitale de l'individu. Le champ électromagnétique corporel, l'aura en quelque sorte, s'harmonise. Cet état se signale par un système nerveux calme. En effet, les nerfs commandent les muscles, les muscles agissent sur le système osseux; il est facile de comprendre comment après une session d'équilibrage énergétique polarisant il peut y avoir une remise en place des os.

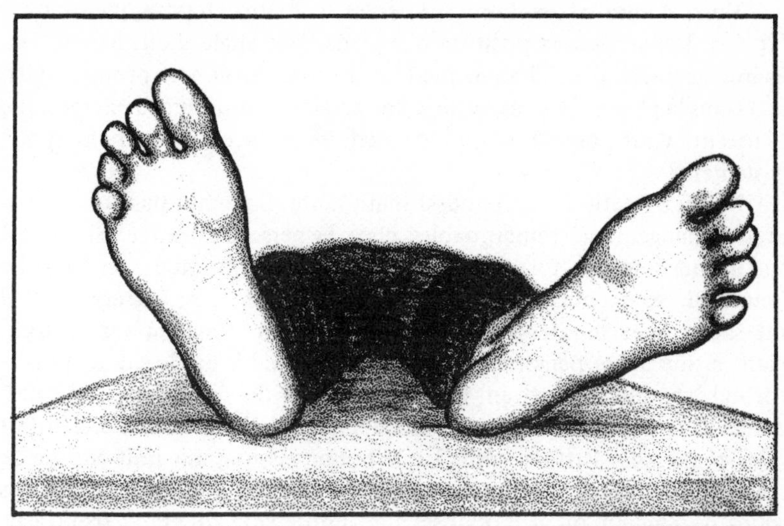

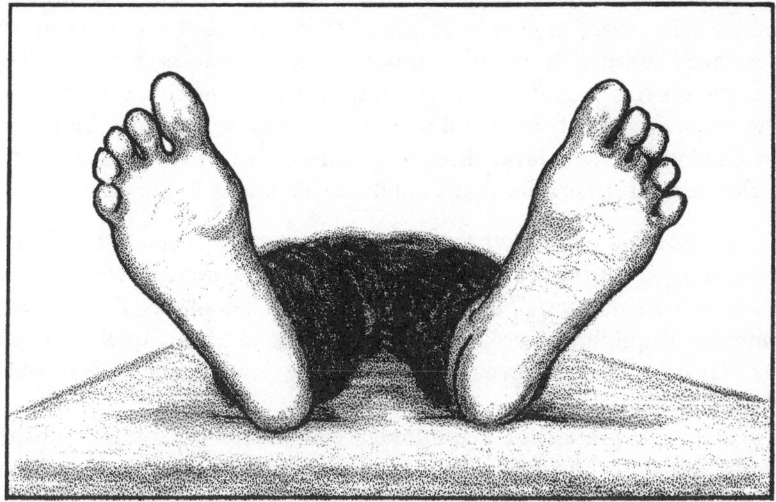

L'angle d'ouverture du pied résulte de la position du fémur dans la hanche. La polarisation énergétique induit un relâchement musculaire tel que souvent les os retournent dans leur position adéquate, d'où un changement notoire de l'angle des pieds et le retour à une meilleure posture corporelle.

Voici comment en faire l'expérience. Faites étendre quelqu'un à plat dos. Remarquez la position des pieds, leur angle d'ouverture – en général asymétrique. Chaque pied se dispose selon son propre angle.

Dans la plupart des cas, suite à une session d'équilibrage énergétique polarisant, vous observerez que les pieds se replacent quasiment symétriquement.

Puisque l'action s'avère aussi marquante, il ne faut pas être surpris par les changements remarquables chez la personne traitée. Si elle est sous influence d'une forte angoisse, d'un choc émotionnel, en cours de séance, elle se décontractera, oubliera sa souffrance, se laissera aller. Il faut savoir avec tendresse encourager même les larmes prêtes à surgir. Quant à une autre personne, elle se laissera envahir par le calme, puis le profond sommeil, tout en gardant un état de conscience très net. Laissez-la se reposer pour aussi longtemps qu'elle le souhaite. S'il fait froid, couvrez-la. Parfois, suite à une bonne session, une nuit entière de sommeil s'imposera. Vous rencontrerez aussi des gens qui auront des vagues de chaleur ou, à l'opposé, une impression de grand froid, car, après le déblocage, le sang se précipite respectivement vers la peau ou les organes internes. Il ne faut pas oublier les admirables états de grâce, et même d'extase. Quel que soit l'effet, ayez confiance. Ce qui se manifeste résulte de la satisfaction d'un vrai besoin de la personne. La force-de-vie agit uniquement là où elle s'avère utile, et elle provoque seulement le changement désirable pour conduire l'homme à son mieux-être.

La force-de-vie ne fait pas de différence entre la souffrance émotionnelle et la souffrance physique. Toutes deux expriment simplement un blocage à l'action de l'énergie vitale. Depuis des années, j'ai constaté comment l'équilibrage polarisant aide jeunes et vieux, quel que soit leur état préalable, et souvent leur souffrance s'apaise sans avoir recours à des médicaments.

Ceux qui pratiquent l'équilibrage énergétique polarisant sont des propulseurs de la force-de-vie. Ils la font circuler et, par conséquent, ils en éprouvent aussi les bienfaits. Lorsqu'un échange d'amour s'opère, tous les membres de la chaîne ainsi constituée s'améliorent.

Les états chroniques

Dans les cas extrêmes, ou en présence d'affections chroniques, une série de sessions d'équilibrage doit être envisagée. Ne prévoyez pas des effets immédiats, le déséquilibre énergétique de l'individu s'est établi en, qui sait, dix, quinze, vingt ou cinquante années. Il faudra probablement bien des séances d'équilibrage polarisant complétées par l'adoption graduelle d'une vie mieux conçue, une alimentation et des activités corporelles adaptées pour conduire à l'indispensable changement. Malgré tout, dès le début, vous pourrez provoquer une apaisement de la souffrance, une amélioration de l'état général.

Trois à quatre sessions par semaine conduiront à de spectaculaires résultats. A l'apparition de signes manifestes de rétablissement, il faudra réduire à deux séances par semaine. Une fois la personne assurée sur sa voie de guérison, une unique session hebdomadaire engendrera juste l'effet tonique nécessaire au corps pour faire disparaître complètement son mal.

Il ne faut pas hésiter à demander à la personne comment elle ressent les effets de chaque intervention. Souvenez-vous qu'il est préférable d'organiser une série de séances régulièrement données que d'en appliquer une seule de temps à autre.

Les personnes âgées

Le traitement des personnes âgées nécessite une approche considérée. Les séances doivent être fréquentes mais de courte durée si l'on veut atteindre les meilleurs résultats. En effet, un équilibrage énergétique polarisant très accentué peut déclencher un processus de cure intérieure, c'est-à-dire libérer les toxines depuis longtemps bloquées dans le corps, alors que la personne ne dispose pas du potentiel de force-de-vie suffisant pour assurer cette soudaine élimination. Il est préférable d'avancer lentement, de progresser avec aisance.

Une alimentation épurante doit être conseillée, et pratiquée, pour accompagner les séances fréquentes, trois par semaine par exemple. Il existe des ouvrages de diétique spécialisés qui dans ce domaine serviront de guide pour autant qu'ils soient bien documentés, simples et faciles à suivre.

Les enfants

Les enfants sont fous des séances d'équilibrage énergétique polarisant. Il faut leur expliquer le processus en cours; confiez-leur qu'il s'agit de faire un cadeau, un don d'amour. C'est d'ailleurs la raison pour laquelle le Cercle Polarisant fut nommé "Anneau d'amour". Pour eux, pas de problèmes. Ils perçoivent sur le champ la force-de-vie, car ils sont en général plus sensibles. moins conditionnés, plus ouverts à toute expérience bien vécue. Ils sont perméables à tout amour, et de ce fait l'équilibrage se manifeste en eux très clairement. En outre, seule une faible action est requise pour obtenir d'excellents résultats.

Souvent, l'anneau d'amour constitue à bien des points de vue une pratique idéale pour les enfants. Facile à apprendre, c'est un acte d'amour et un service rendu à quelqu'un dans une atmosphère très paisible. Le Cercle fait surgir la joie sans souffrance. Une fois la séance terminée, assurez-vous que les enfants aient passé leurs mains sous l'eau froide.

Les derniers exercices de la session dite "De l'Un à l'Autre", sont d'une pratique merveilleuse pour les enfants. Toutefois, les plus jeunes n'accepteront qu'un toucher de faible pression. En tous cas, quel que soit leur rôle, il doit, avant tout, les rendre heureux.

Il existe pour la majeure partie des enfants un évènement journalier qui souvent tourne en conflit avec les parents : aller au lit. Voici un cas pour servir d'exemple. Un jour, une de mes amies décida de faire participer sa fillette âgée de trois ans, Sarah, à nos sessions de polarisation. Chaque fois que Sarah manifestait une humeur calme et agréable, sa mère lui donnait le "bercement du ventre". Elle adorait ces moments-là.

Une nuit où elle n'arrivait pas à dormir, sa mère lui demanda : "Veux-tu que Maman te donne de l'amour ?" car ce mouvement avait été nommé le "don de l'amour". Sarah s'endormit au "bercement du ventre". Depuis cette expérience, jamais il n'y eut le moindre problème pour la coucher. Elle réclamait seulement "un peu d'amour", puis elle s'assoupissait rapidement. Cet exercice d'équilibrage énergétique simple et efficace procura d'un côté des soirées tranquilles à la mère, et de l'autre une nette amélioration générale de Sarah car, chaque nuit, son champ de force-de-vie se ré-équilibrait.

Se jeter à l'eau

Point n'est besoin de croire que ce système fait merveille
pour l'expérimenter vous même d'indiscutable façon.
Vous n'avez pas besoin de croire à l'océan pour vous y tremper.
Cependant, il est indispensable de vous jeter vous-même à l'eau.

DEUXIÈME PARTIE

Polarisation de « l'Un-à-l'Autre »

Cette seconde partie servira à décrire comment une personne peut donner à une autre une remarquable session d'équilibrage énergétique polarisant.

Ensuite, nous examinerons comment un groupe de six personnes peut, par des techniques d'équilibrage sans contact et sans pression, provoquer des modifications notoires dans le corps humain.

Cependant, avant d'aller plus de l'avant, j'insiste sur, et je recommande, la lecture attentive de la première partie de cet ouvrage.

La façon de toucher

Dans l'équilibrage énergétique polarisant, on met en œuvre trois manières de toucher une personne : le massage profond, le massage superficiel sans pression, et l'imposition sans contact avec la peau, c'est-à-dire les mains placées à proximité.

Dans le corps humain, les courants de force-de-vie suivent un système circulatoire très subtil. Si par suite de soucis et de peurs, concernant per exemple le travail ou des problèmes personnels, une tension se manifeste, le courant de force-de-vie s'accumule en plusieurs zones. Ce qui a pour évidente conséquence de priver le reste du corps de l'énergie nécessaire à son bon fonctionnement. Le massage profond peut dégager la force-de-vie ainsi bloquée. Une fois cette énergie libérée et circulant sans entraves, les techniques de contact superficiel et d'imposition sans contact servent à polariser l'énergie, ce qui veut dire qu'elle s'oriente et circule en bonne et due place.

Dans quelle position pratiquer ?

Pour aborder une session d'équilibrage énergétique, il faut être dans la meilleure disposition possible, tranquille, prêt à tout donner, même son affection. Bien que nos pensées affectent la force-de-vie, il n'apparaît pas utile de se concentrer, de méditer, ou de s'évertuer par quelque moyen que ce soit à faire du bon travail. L'énergie circule selon ses propres lois, par elle-même. Par contre, être bien centré favorisera toute action, ce qui veut dire être parfaitement attentif et disponible pendant l'intervention. Si vous vous efforcez trop à faire du bon travail, vous ne pourrez pas être détendu et vous n'obtiendrez que le blocage de la force-de-vie. L'attitude la meilleure consiste simplement à “être” avec la personne qui reçoit. Vous pouvez aimer cette personne, en être amoureux, ou simplement vous sentir bien en vous-même. Ces dispositions permettent la libre circulation de la force-de-vie.

Si vous vous sentez en conflit avec la personne à traiter, si vous vivez un bouleversement émotionnel, ou si vous êtes malade, ne donnez pas une séance d'équilibrage polarisant. Ces moments-là sont ceux où il faut recevoir une séance; quel émerveillement quant aux résultats!

L'équilibrage énergétique polarisant ne constitue pas une guérison par la foi. Néanmoins les effets sur les personnes les plus sceptiques s'avèrent excellents. Ne pas croire à cette méthode n'entraîne pas une altération du champ de la force-de-vie pour autant qu'en pratiquant vous ayez une parfaite confiance en votre action. L'équilibrage polarisant est le résultat des réalités premières des champs électromagnétiques, et certainement pas de nos opinions personnelles.

Comment se protéger

Travailler avec l'énergie subtile de la vie exige quelques précautions. Il ne faut pas se charger de l'énergie statique de l'autre.

En tout premieu lieu, *sachez que vous n'êtes pas un guérisseur.* C'est pour moi une position qui s'impose en toute clarté lorsque je mets en œuvre un exercice corporel tel le "berceau" ou le "bercement du ventre". Parfois, mes mains s'échauffent et je ressens tout autour un champ de force de plusieurs centimètres d'épaisseur avec un courant, un fleuve d'énergie, vibrant entre l'autre et moi. J'ignore où il va, d'où il vient, et ce qu'il fait. La force-de-vie agit seule. En tous cas ce n'est pas moi, être humain, qui le dirige. Tout ce que je fais se réduit à placer mes mains et à observer ce qui se produit. L'amour de notre être, manifesté sous forme de force-de-vie, guérit. Alors, dans ces conditions, la meilleure attitude est de laisser faire, ou, à votre choix, d'accepter que "Ta Volonté soit faite". Prenez la position d'un observateur; même celle d'un observateur non convaincu sera parfaite. Car penser "je suis un guérisseur" provoquera une forte vibration focalisée sur le "JE, JE, JE" susceptible d'attirer l'énergie statique de la personne traitée sur celui traitant.

En second lieu, *n'oubliez pas de secouer vos mains et de les rincer à l'eau froide.* Une fois la séance terminée, il est indispensable de fortement secouer vos mains vers le sol, et ceci à plusieurs reprises, comme si vous en chassiez de l'eau. Ensuite seulement, rincez-les abondamment à l'eau froide. Ces deux opérations évacuent et mettent à la terre l'énergie statique, non contrôlable, qui pourrait s'être accumulée sur vos mains.

D'ailleurs, parfois on sent cette énergie : les mains sont comme enflées, lourdes, épaisses.

Troisièmement, *ne donnez jamais une séance si vous êtes fatigué ou même rêveur.* Cette notion d'état de "rêve" signale un manque d'attache au réel, par exemple lorsque vous remarquez que vous n'êtes pas vraiment conscient de vos activités et de vos sensations corporelles. Cette condition vous prédispose à l'envahissement par l'énergie de l'autre, transfert qu'il est toujours préférable d'éviter.

Quatrièmement, *ayez entière confiance en ce qui se passe.* Même si votre intervention conduit à une réaction inhabituelle, ne manifestez aucune inquiétude. Avant d'aller mieux, une personne peut passer par des étapes critiques, ou s'endormir très profondément, ou trembler de froid, ou signaler des sensations corporelles entièrement nouvelles pour elle, donc inconnues et inquiétantes. Sachez bien que la force-de-vie pour accomplir le nécessaire demeure toujours liée à l'intelligence du corps. En vous peut parfois se manifester la sensation du malaise de l'autre; cela ne doit pas vous effrayer. Observez ce qui se passe, rapidement tout reviendra dans l'ordre.

L'effet magnétique

Une fois la séance terminée, vous vous sentirez dans une forme resplendissante. Cependant, parfois la fatigue éprouvée vous surprendra : elle signalera que vous avez été contracté pendant la session donnée. La force-de-vie transmise à l'autre lui sera très utile, que vous soyez bien ou épuisé. Alors, détendez-vous, prenez quelques minutes de repos et pratiquez la respiration profonde. Parfois quelques exercices suivis d'une douche froide seront nécessaires pour vous faire retrouver votre tonus habituel.

L'ambiance

La pièce dans laquelle vous pratiquerez doit être chaude, tranquille et confortable. Il faut pouvoir s'y déplacer facilement. Toute distraction doit être éliminée : pas de téléphone, sinon débranchez-le pendant la séance, pas d'intrusion du monde extérieur, pas d'animaux. Fermez les portes, signalez votre désir de ne pas être dérangé. Par contre, une musique calme, agréable, peut alors bien s'apprécier.

Comment s'habiller

Les vêtements seront confortables, laissant le corps libre dans tous ses mouvements.

La personne désirant le traitement sera pieds nus, de façon à permettre un contact énergétique direct. Il en va de même pour le donneur qui pieds nus sera plus à l'aise.

Tout objet métallique sera ôté. Il semble que les métaux modifient légèrement le courant naturel de force-de-vie. Débarrassez-vous de tous bijoux, boucle de ceinture, bagues, clés, montre, pièces de monnaie, colliers, médailles, etc. avant de commencer la séance.

La table de travail

Une table de massage procure un confort remarquable pendant une séance d'équilibrage énergétique polarisant. Toutes les positions et tous les exercices seront effectués sans fatigue, ni tension, très facilement. Malgré tout, une porte placée sur deux tréteaux à bonne hauteur et recouverte d'une couche de mousse fera parfaitement l'affaire. Les tables de massage disponibles dans le commerce conviennent; prenez-en une à hauteur réglable car elle sera utilisable par vous et toute autre personne, et de largeur suffisante pour qu'une personne corpulente puisse reposer les bras le long de son corps sans gêne. Elle doit aussi être rigide, mais pas trop lourde à transporter.

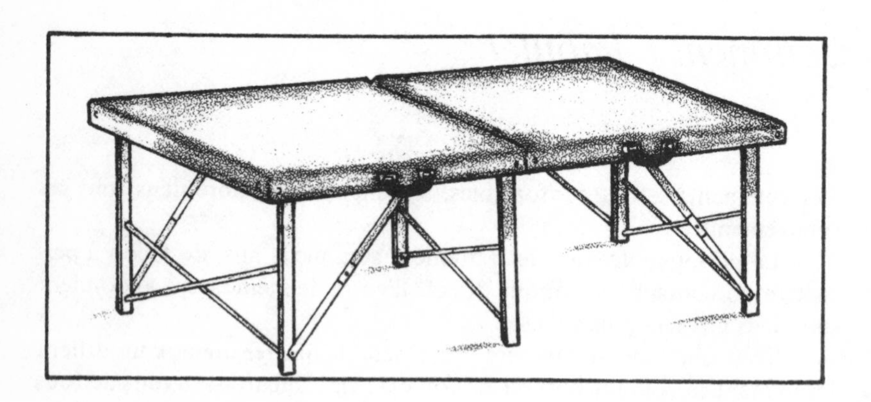

Comment aborder une séance de polarisation

Avant tout, parlez à votre compagnon. Assurez-le de son rôle et du votre; lui n'a qu'à se détendre au mieux, respirer régulièrement et profondément pour vivre cette expérience comme un extraordinaire moment de plaisir. Il pourra, à sa guise, exprimer ou non ce qu'il ressent, pleurer, garder le silence, rire sans contraintes, en fait être tout à son aise. C'est à vous de lui permettre de se décontracter, état dans lequel le passage de la force-de-vie se fera bien plus facilement; à cette fin faites ce que bon vous semble.

La respiration

Une bonne façon d'accentuer les bienfaits d'une session d'équilibrage énergétique polarisant consiste à demander au patient de pratiquer une respiration très profonde. En effet, la force-de-vie existe aussi dans l'air, donc le respirer ne peut qu'aider à recharger le corps. Par ailleurs, les mouvements profonds d'inspiration et d'expiration suscitent une détente et facilitent le relâchement des tensions émotionnelles.

Lorsque la personne respirera profondément, vous vous rendrez bien compte que la sensation de fourmillement augmente, c'est-à-dire le flot de la force-de-vie sera plus intense, surtout pendant les exercices sans mouvement.

Cette puissance énergétique sera aussi accélérée par la nature de votre propre respiration. Pendant votre intervention, respirez profondément sans qu'il soit pour cela nécessaire de synchroniser votre rythme respiratoire avec celui de l'autre.

Tout en travaillant, assurez-vous que votre compagnon continue à bien respirer. Cette respiration doit partir du ventre, au niveau du nombril, et se poursuivre chaque fois jusqu'aux épaules. L'inspiration sera volontaire, l'expiration sans aucun effort. Le fait de respirer par la bouche ou par le nez n'affectera pas l'issue de la séance.

L'apprentissage des exercices

La session de "l'un-à-l'autre" se caractérise par une suite d'exercices avec et sans mouvements dont l'efficacité sera d'autant plus assurée qu'ils seront accomplis dans l'ordre prescrit.

Ces exercices ont été ici présentés en trois leçons, de manière à constituer des phases simples à apprendre et à mémoriser. J'insiste sur la nécessité de bien "sentir" chaque leçon, de la pratiquer avant de passer à la suivante. Ainsi, vous serez rapidement maître de l'entière session.

En premier lieu, avant de commencer, lisez bien le nom de l'exercice, puis passez à sa description, et attardez-vous sur le commentaire concluant. Lors de la mise en pratique, ce dernier s'avèrera très vite inutile, car, bientôt, à la seule lecture du nom d'un exercice, vous enclencherez le processus de sa réalisation. Un jour, la succession des exercices pourra se faire sans avoir recours au livre, ou à une liste proche de vous. Ne soyez en aucun cas impatient ! Prenez tout le temps nécessaire à bien vous pénétrer de cette pratique; cet effort en vaut la peine. La session d'équilibrage de "l'un-à-l'autre" vous conduira à mieux aimer quelqu'un sans exercer la moindre oppression sur la personne, et ceci tout en l'aidant vraiment.

QUEL BONHEUR !

PREMIÈRE LEÇON

EXERCICE No 1 – LE BERCEAU

Frottez vivement les paumes de vos mains l'une contre l'autre, puis placez-les, sans exercer de pression, de chaque côté de la tête. *Il est préférable de presque effleurer la personne tout en gardant les mains parfaitement décontractées.* L'index et le majeur s'allongent vers le cou, le pouce se retrouve ainsi au-dessus de l'oreille.

Commentaire : Le Berceau est une position très réconfortante, particulièrement efficace pour calmer toute nervosité, tension, ou maux de tête.

Quel que soit l'exercice pratiqué, assurez-vous de la meilleure position de votre corps. Ne raidissez pas votre dos, sinon vous le fatiguerez jusqu'à en souffrir. De temps à autre, reposez-vous, et seulement une fois détendu reprenez la séance.

Gardez cette position du Berceau aussi longtemps que vous ressentirez un puissant passage d'énergie dans vos mains. On ne peut pas déterminer la durée de chaque exercice. Là, votre intuition vous guidera. Faites-lui confiance. Parfois, la position du Berceau peut durer une demi-heure, et même plus, mais dans la plupart des cas quelques minutes suffisent.

Conseillez à la personne de respirer le plus profondément possible. Quant à vous, ne perdez pas de vue que la perception de la force-de-vie sera beaucoup plus facile lorsque vous ne toucherez pas la personne, tout au plus faut-il commencer par un effleurement, puis légèrement s'éloigner.

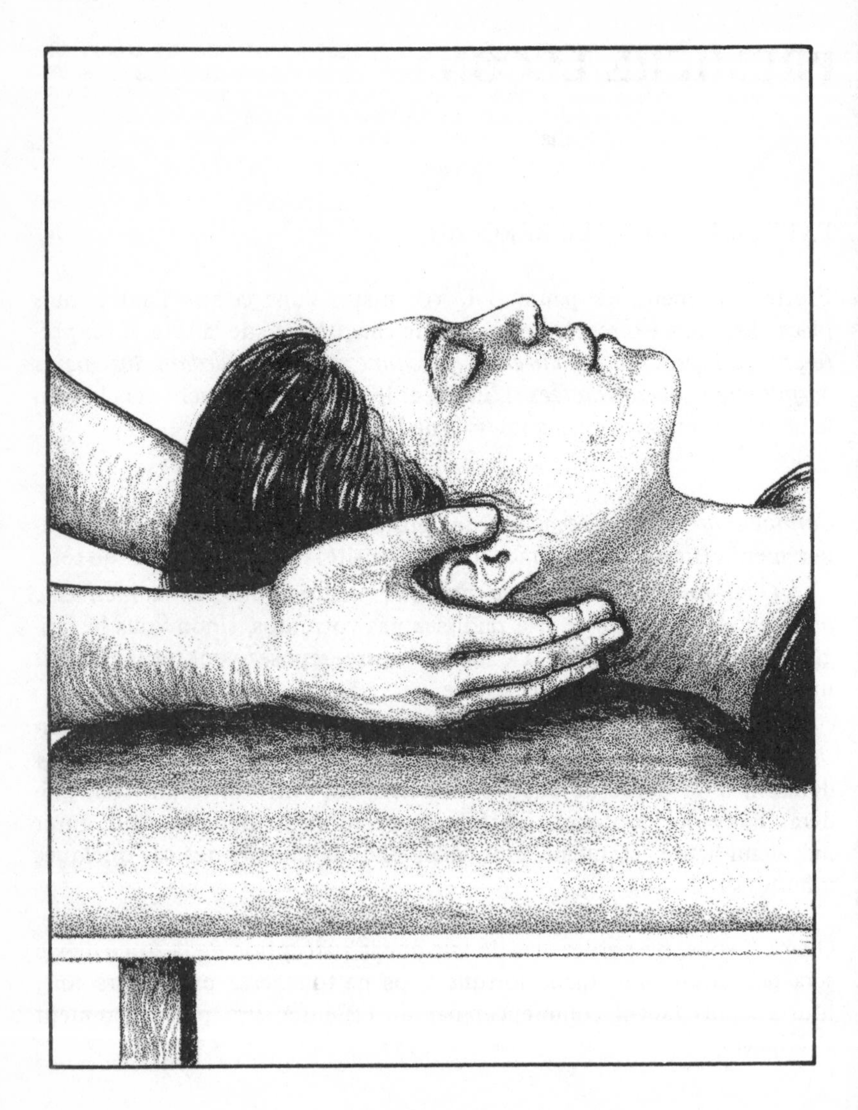

Le Berceau

EXERCICE No 2 – L'ETIREMENT POLAIRE

Posez la tête de la personne sur la paume de votre main droite de façon à bien saisir la base de l'occiput entre le pouce et le majeur. Votre main gauche se placera sur le front. De votre main droite exercez un étirement continu vers vous qu'il faudra maintenir sans variations pendant une à deux minutes.

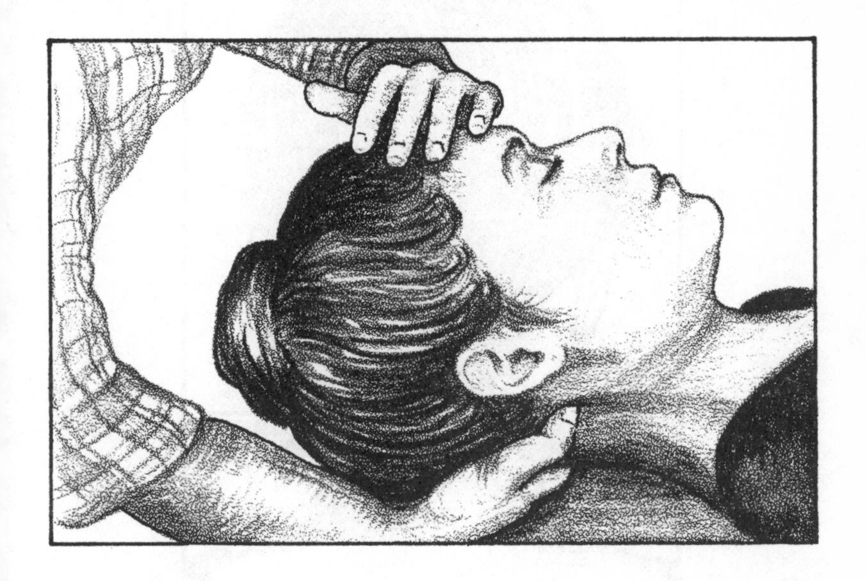

Commentaire : Conseillez au patient de se détendre, de s'abandonner à votre action.

En laissant vos doigts circuler le long du crâne, vous trouverez facilement l'occiput. Glissant un peu plus bas, vous découvrirez une région plus charnue, la base de l'occiput. Au début, cherchez sur vous-même, de manière à ensuite facilement trouver chez les autres. Votre pouce et votre majeur seront placés fermement à la base de l'occiput où ils trouveront une excellente prise.

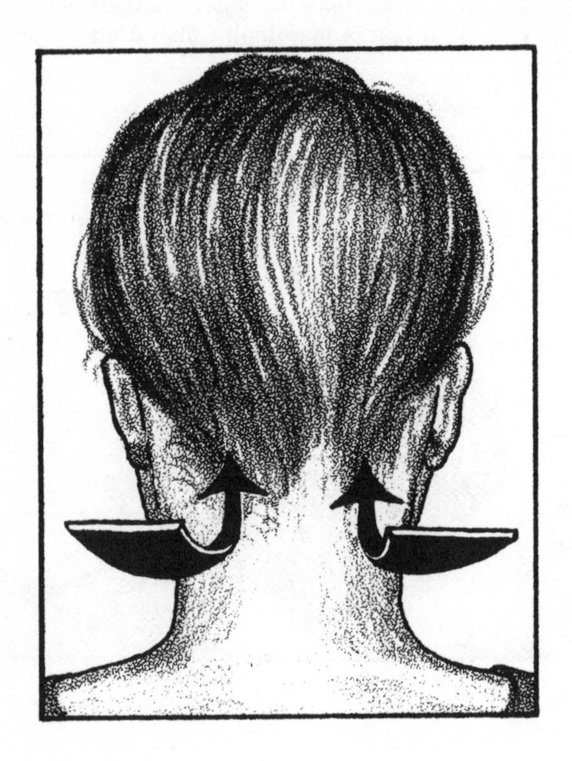

Tirez de toute la force supportable sans gêne par le patient.

Une fois votre bras fatigué, passez à l'exercice suivant.

Au cas où la personne cesse sa respiration profonde, n'hésitez pas à lui conseiller de reprendre son rythme respiratoire.

EXERCICE No 3 – LE BERCEMENT DU VENTRE

Frottez vivement les paumes de vos mains l'une contre l'autre, et, placé à droite de votre companon, posez la paume de votre main gauche sur son front puis votre main droite se place à plat à peine plus bas que son nombril. Alors, d'un mouvement latéral régulier, bercez-le pendant au moins deux minutes. Cessez le mouvement tout en gardant vos mains en place aussi longtemps que vous ressentirez le picotement signalant le passage de la force-de-vie; au moins pendant une minute. Ensuite levez lentement vos mains de quelques centimètres seulement, et à nouveau elles seront saisies du passage intense de la force-de-vie.

Commentaire : Pratiquez un bercement doux et régulier, comme s'il s'agissait d'un bébé à endormir. Le torse doit se déplacer de quelques centimètres à peine au cours du mouvement. Surveillez le corps pour ainsi contrôler le rythme, agréable et lent.

Observez votre main droite qui doit faire corps et ne pas glisser. La main et le ventre ne sont qu'un pendant l'exercice. Si ce n'est pas le cas, augmentez la pression sur l'abdomen. Lorsque cessera le bercement, vos mains n'ayant pas encore bougé, votre compagnon pourra bien sentir un courant d'énergie circuler au travers de lui, et localiser de nombreux fourmillements.

Voilà un exercice simple caractérisé par sa surprenante puissance. Il peut être pratiqué même si l'on ne dispose que de quelques minutes. Il fait merveille sur les enfants, le soir, pour les endormir.

J'insiste encore : on ne pourra jamais trop dire l'importance d'une respiration régulière et profonde pendant les exercices, chez celui qui donne et pour celui qui reçoit.

Une suggestion : Arrêtez votre lecture ici-même. Pratiquez ce que vous venez d'apprendre avant de continuer cette découverte.

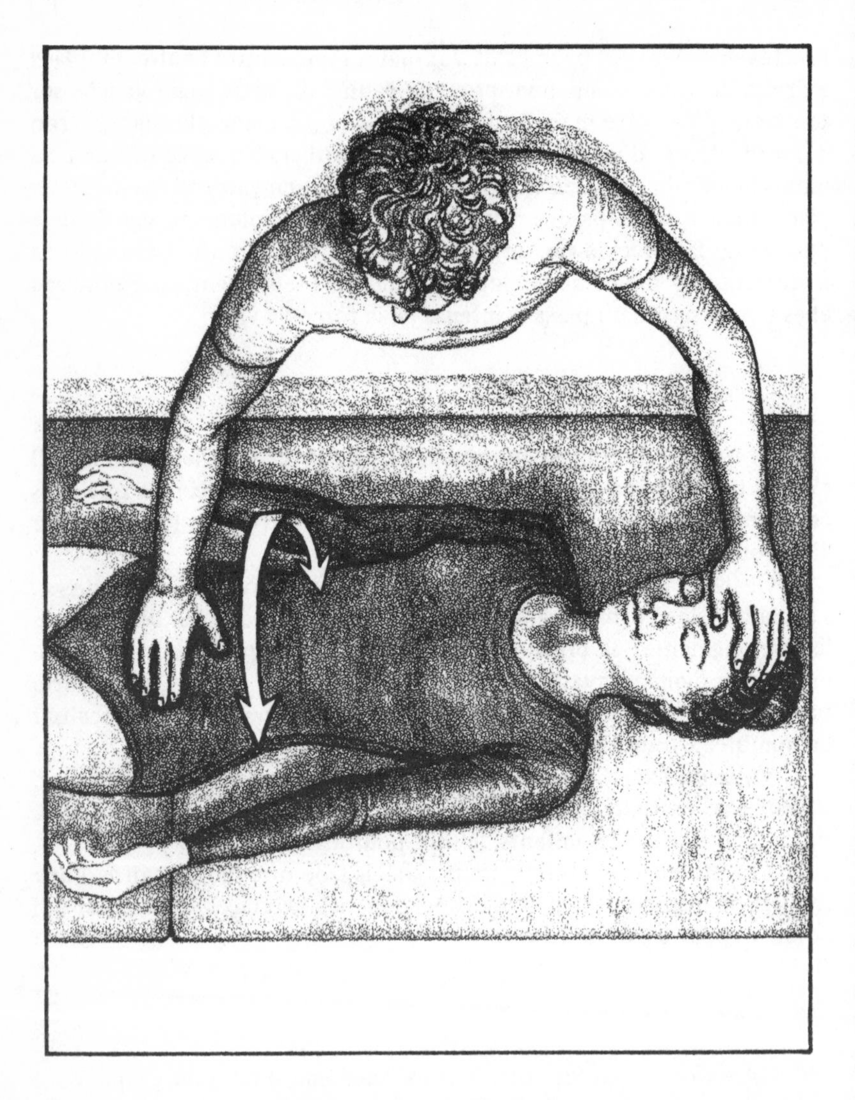

Le Bercement du Ventre

Les exercices sur les pieds

Dans tous les cas, il faut bien achever tous les mouvements sur un pied avant de passer à l'autre. Dans ce qui suit, nous vous montrons comment faire les exercices sur le pied droit. Celui-ci traité, passez sur le pied gauche, simplement en utilisant symétriquement les mêmes indications.

EXERCICE No 4 – BROSSER

Brosser la jambe des deux mains, en partant des genoux jusqu'à la pointe des orteils. Là, *secouez vigoureusement vos mains,* comme si vous les égouttiez, puis reprenez le mouvement plusieurs fois de même.

Commentaire : Cet exercice permet d'éliminer l'énergie erratique stagnante. Vos mains sembleront plus épaisses, lourdes, gonflées. N'hésitez pas à les secouer. Jetez vivement cette énergie !

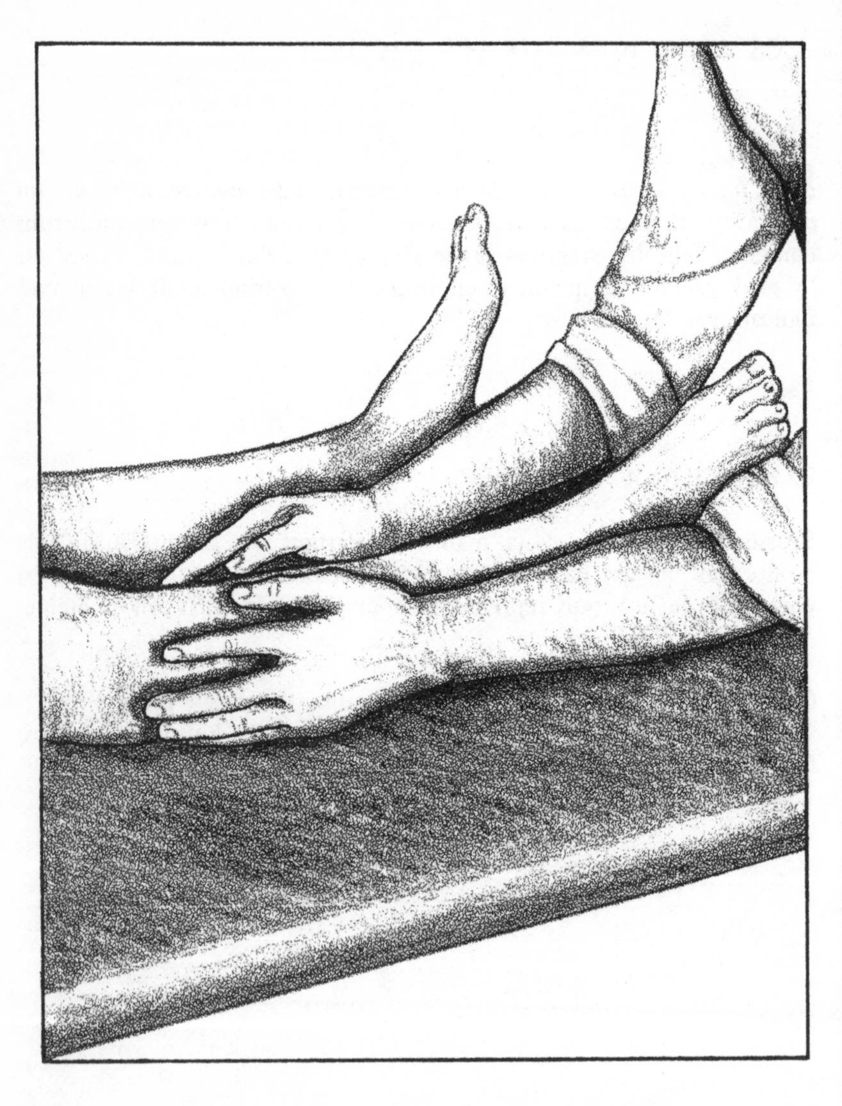

Position pour brosser les jambes et les pieds.

EXERCICE No 5 – POUSSER ET ETIRER

Posez le talon du pied droit de votre patient sur les doigts de votre main gauche. L'arrondi de la paume de votre main droite se pose sur la masse charnue à la base des orteils afin de pouvoir pousser vers l'avant de toute la force de votre bras droit sur lequel s'appuie le poids du haut de votre corps. Cette pression doit permettre d'étirer au maximum le tendon d'Achille.

Ensuite, votre main droite prend le cou-de-pied pour exercer une pression vers le bas à maintenir jusqu'au moment où le creux du genou se soulèvera. *Poussez lentement, doucement.*

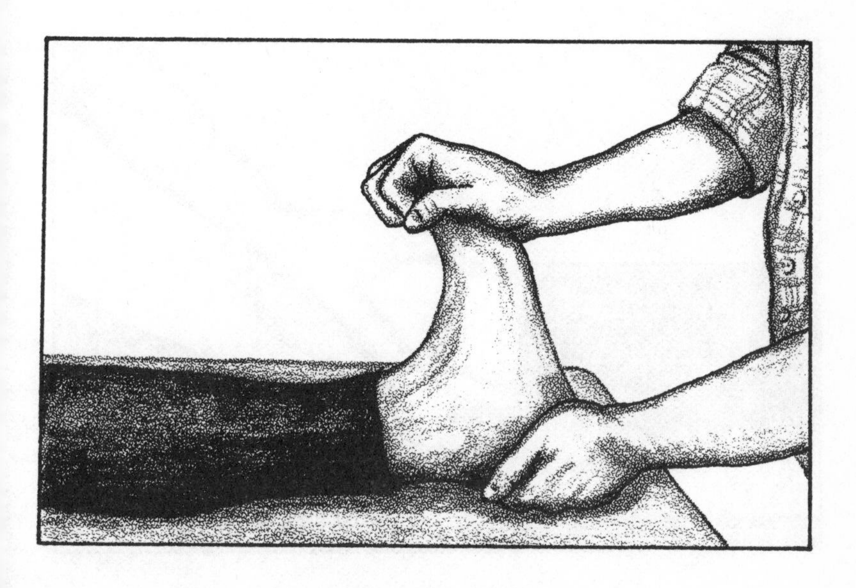

Poussée sur le pied.

Commentaire : En poussant le pied vers le haut du corps, la force appliquée peut être très importante. Par contre, en pressant vers le bas, il faut doser la force du mouvement, l'exercer sans aucun à-coup. Par ses indications, le patient vous guidera.

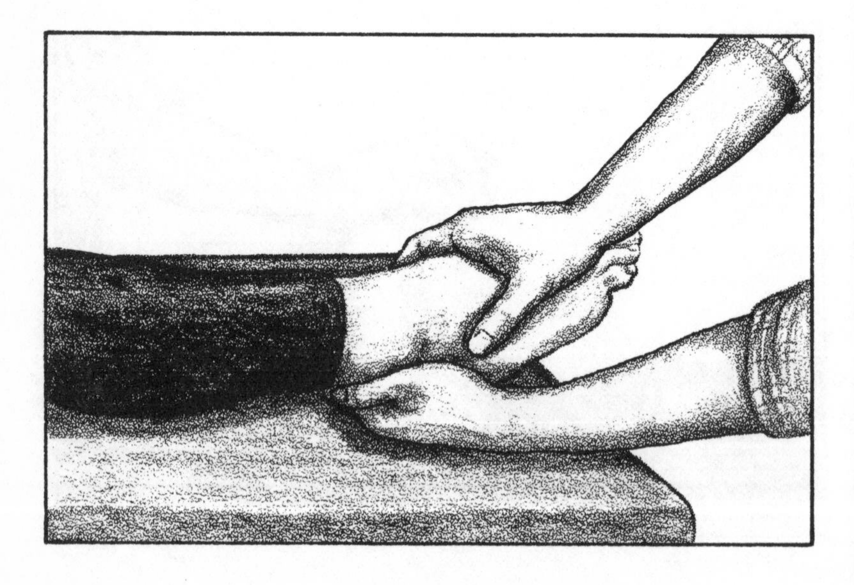

Etirer le pied.

EXERCICE No 6 – PRESSION AU CREUX INTERNE DE LA CHEVILLE

Saisissez le talon et la cheville du pied droit des doigts de votre main droite. Avec votre pouce droit sur la face interne de la cheville dans le creux sous la maléole, découvrez un point sensible. *Exercez-y une pression constante, douce et néanmoins ferme. En aucun cas il ne faut masser* cette zone douloureuse au toucher. Votre main gauche a pour simple rôle de maintenir le pied dans sa position normale, à angle droit par rapport à la jambe.

Commentaire : Lorsqu'elles ne résultent pas d'une blessure, les zones du corps douloureuses ou sensibles au toucher signalent une aire de blocage du courant de force-de-vie, soit le long des systèmes de circulation énergétique, soit au sein d'un organe. Toute pression continue appliquée au point sensible stimule le flot énergétique au travers des organes réflexes. Le traitement de ces zones fera l'objet d'une approche plus spécifique dans la partie de cet ouvrage consacrée aux mouvement particuliers.

En tous cas, prenez soin d'avoir des ongles courts et bien limés.

La découverte des zones sensibles peut être longue, ce sera le fruit d'une recherche systématique (en observant les précautions mentionnées plus loin). Dans la plupart des cas, vous en localiserez plusieurs, et sur chaque il faudra exercer une pression continue. Déjà pour les repérer une pression forte peut être indispensable, mais, une fois votre réussite marquée par la grimace de votre patient, maintenez la pression simplement au seuil inférieur de la douleur acceptable sans gêne. La respiration profonde permettra une détente et facilitera la montée de la peine du pied au travers de tout le corps. La douleur libérée s'atténuera vite, et vous pourrez bien doser la pression à conserver pendant quelques minutes sur chaque point.

Si vous sentez le pouls du patient battre sous votre pouce, cherchez ailleurs car jamais il ne faudra appliquer une force pression sur une artère ou sur une veine.

Cet exercice régularise la région pelvienne, centre du corps. Il donne des résultats particulièrement satisfaisants chez les femmes dont les règles sont douloureuses.

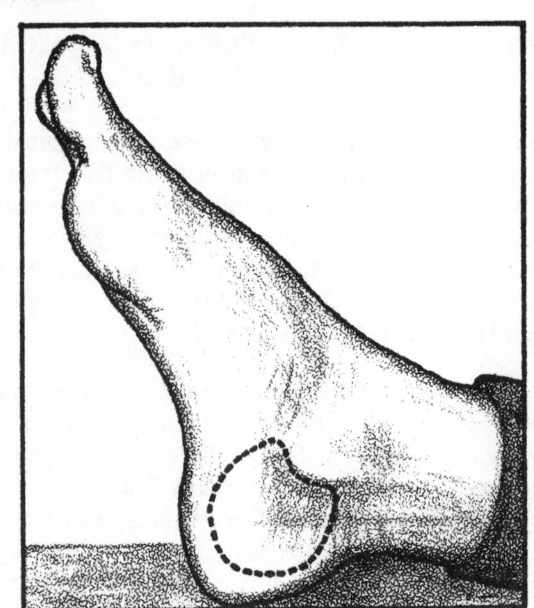

Creux interne de la cheville où se situent divers points sensibles au toucher.

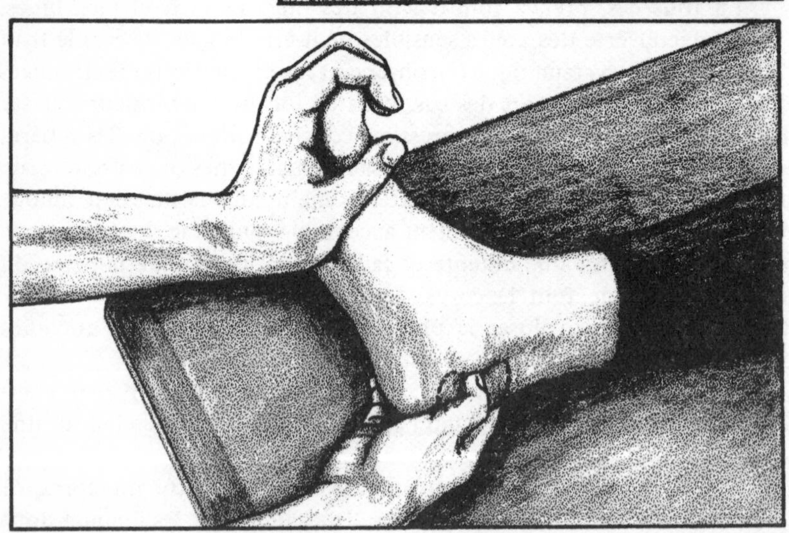

Position permettant d'exercer une pression constante sur les points sensibles à traiter.

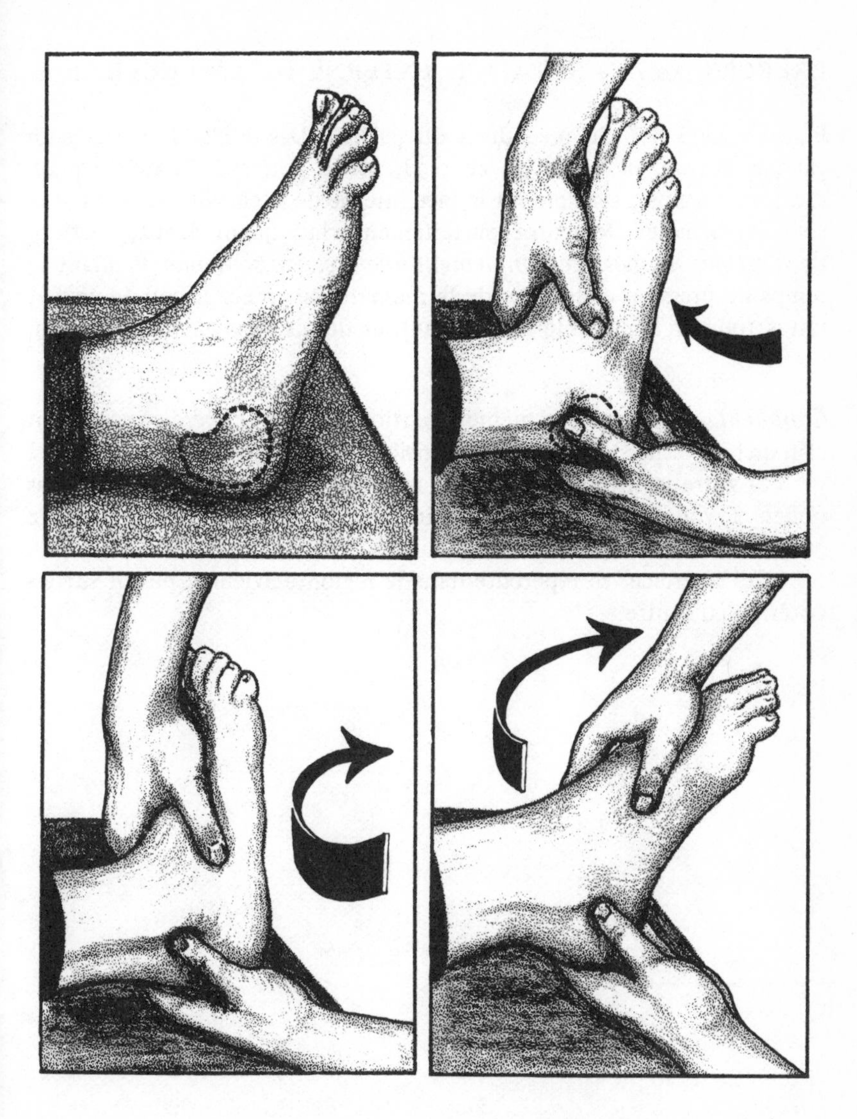

Les trois axes de rotation de la cheville.

EXERCICE No 7 – ROTATION EXTERNE DE LA CHEVILLE

Placez-vous à 45° du pied droit du patient. Des doigts de votre main gauche saisissez le talon de ce pied, et du pouce de la même main localisez un point sensible sur la face interne de la cheville dans le creux sous la maléole. Demeurez parfaitement clair quant à votre action. *Ce n'est pas un massage, simplement une pression soutenue.* Pendant ce temps de pression constante, de la main droite prenez le cou-de-pied et faites tourner l'ensemble du pied autour de ses trois axes de rotation.

Commentaire : Exercez la même attention que dans l'exercice précédent afin de bien situer tous les points sensibles, et travaillez-les tous.

Si votre position rend difficile la rotation du pied, c'est-à-dire vous oblige à vous contracter ou raidir, cherchez-en une plus propice à conserver votre aisance du mouvement.

Cet exercice se répercute dans la région pelvienne, plutôt sur les côtés qu'au centre.

EXERCICE No 8 – L'ETIREMENT DES ORTEILS

Pour bien saisir la base du petit orteil, reposez-le sur votre index de la main droite avec le pouce se plaçant légèrement au-dessous de l'articulation de la base de l'orteil. Pour conserver votre équilibre, votre main gauche reposera sur la droite.

Tirez dans l'alignement de l'orteil tout en soulevant le pied et en agitant le tout d'un rythme régulier, une première fois, puis une seconde.

Que le craquement de l'orteil ait lieu ou non, là n'est pas l'objet de votre action.

Ensuite passez à chaque orteil qu'avec douceur vous étirerez d'un même mouvement.

Ne jamais pratiquer cet exercice sur des personnes ayant soit des douleurs lombaires, soit de l'arthrite au niveau des pieds.

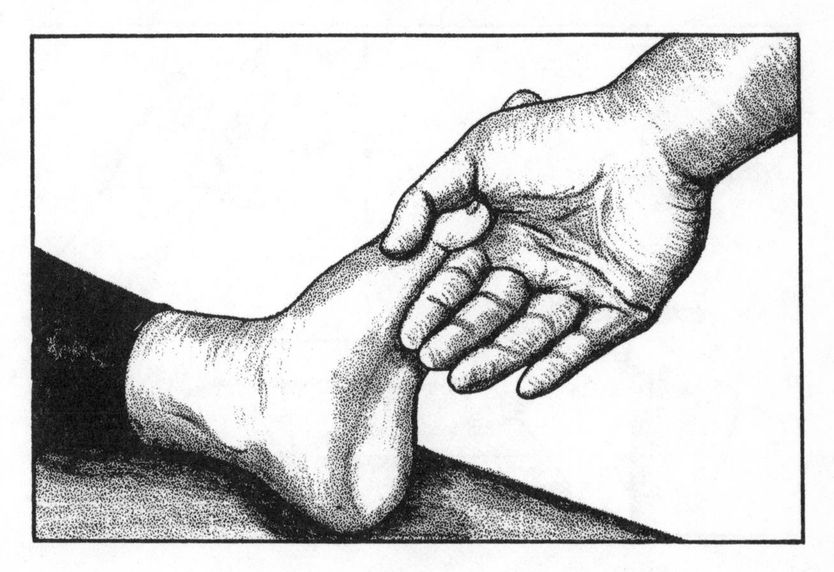

Comment saisir un orteil pour l'étirer.

Commentaire : Tenez bien l'orteil, qu'il ne vous échappe pas pendant l'exercice. Une chaussette ou tout tissu enroulé autour de l'orteil évitera de glisser si l'un ou l'autre des participants a la peau moite.

Surtout ne prenez pas le craquement pour un signal de bon étirement. Seule cette dernière action est nécessaire et efficace.

Lorsque vous travaillerez sur le gros orteil, étirez-le très graduellement. Alors que vous secouerez le pied, des vagues d'énergie traverseront le corps de votre compagnon à l'image des ondes qui circulent le long d'un tuyau d'arrosage lorsqu'on l'agite rythmiquement. Si ce mouvement est exécuté correctement, il se déroulera sans gêne pour le patient, et vous pourrez apercevoir sa tête légèrement balancée par cette agréable pulsation.

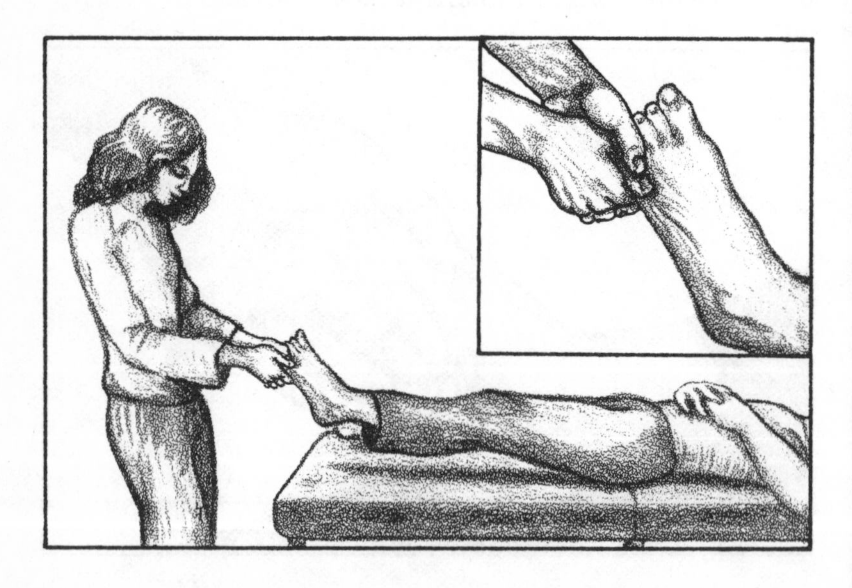

Le mouvement d'étirement des orteils.

EXERCICE No 9 – LA PRESSION DU POING

De votre poing droit, masser profondément la totalité de la plante du pied en appliquant la pression de l'angle de la seconde articulation (voir dessin ci-contre).

Votre main gauche sert à soutenir le pied, à le maintenir pour compenser la direction de la pression. Si vous localisez une zone sensible, massez-la plus longuement.

Commentaire : Demandez à votre patient de respirer régulièrement et profondément pendant toute la durée de votre intervention, et plus particulièrement lorsque vous masserez une zone douloureuse. Là, la pression ne doit pas dépasser le seuil acceptable par le patient tout en demeurant entièrement détendu. Si vous ne pouvez vous souvenir de toutes les régions sensibles, n'hésitez pas à les marquer avec un crayon gras car leur localisation sera utile dans les exercices suivants.

Un conseil : Mettez bien en pratique l'ensemble des exercices de cette première leçon avant d'aller plus avant dans votre apprentissage.

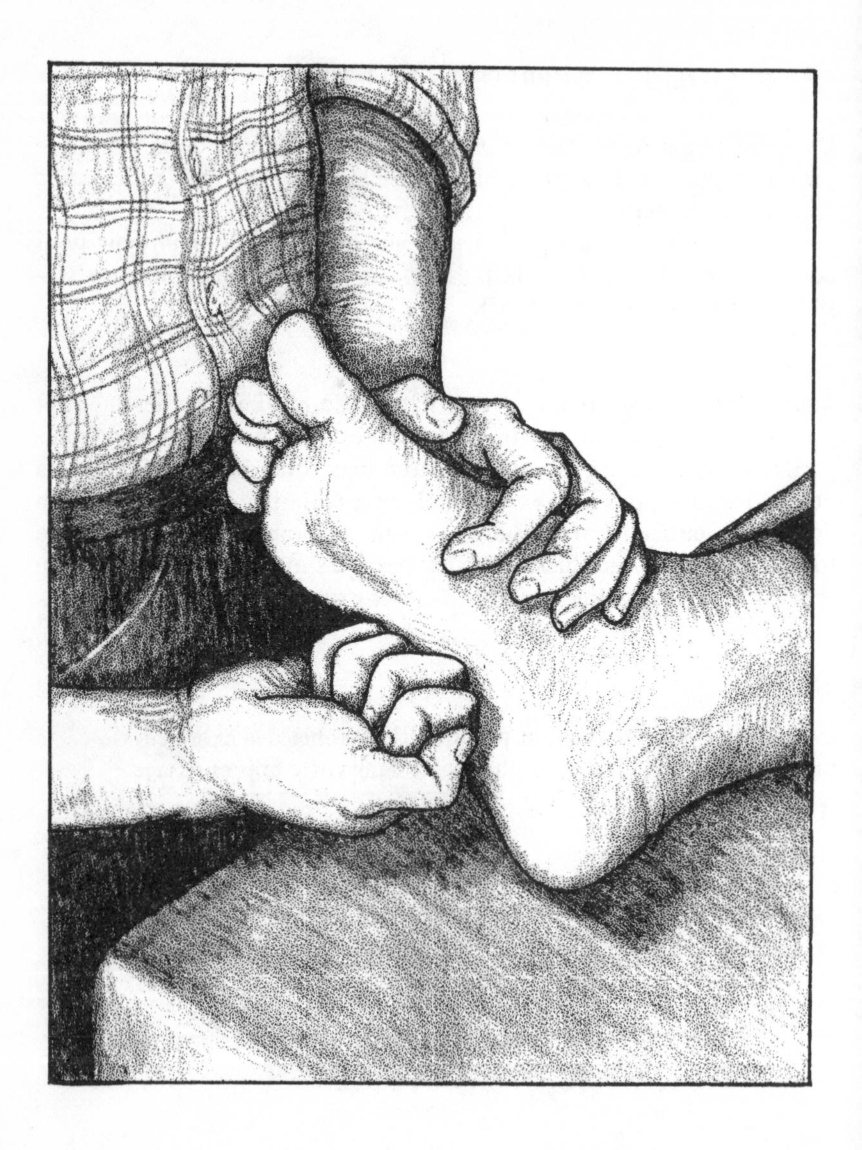

DEUXIÈME LEÇON

EXERCICE No 10 – FLEXION DU TENDON DU PIED

De la paume de la main gauche, poussez le haut du pied reposant sur le talon afin d'agir sur l'épais tendon du gros orteil. Une fois cette flexion atteinte, presser fortement du pouce de la main droite tout d'abord sur l'attache du tendon proche du gros orteil, puis le long du tendon en descendant jusqu'au talon. Reprenez cette pression plusieurs fois de suite.

Chaque fois que le patient signalera un point sensible, faites très attention, exercez une pression contrôlée.

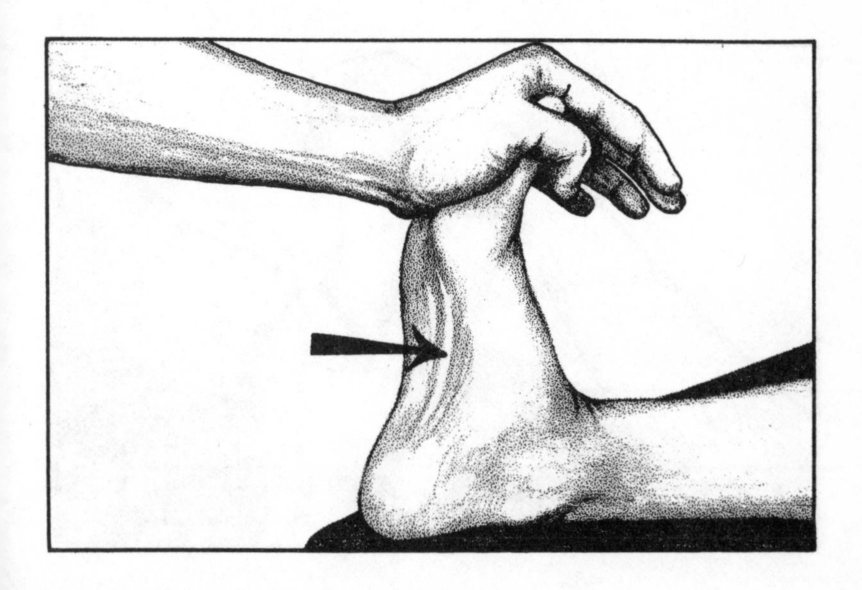

Localisation du grand tendon une fois le pied poussé.

Commentaire : L'intention de ce mouvement ne réside pas dans une simple poussée des orteils. En fait, il s'agit de tendre la plante du pied pour que la pression que le pouce y exercera étire bien le tendon.

Une série de mouvements de pression courts et rapides sera plus agréable et facile à supporter qu'une poussée lente et continue.

Si les doigts de votre main droite prennent appui sur le cou-de-pied, votre pouce pourra mieux doser sa pression. Lorsque votre pouce sera épuisé, ou s'il s'avère qu'une plus forte pression est indispensable, servez-vous de l'angle de la seconde articulation de votre index sans jamais oublier de bien réguler cette forte poussée sur une zone sensible.

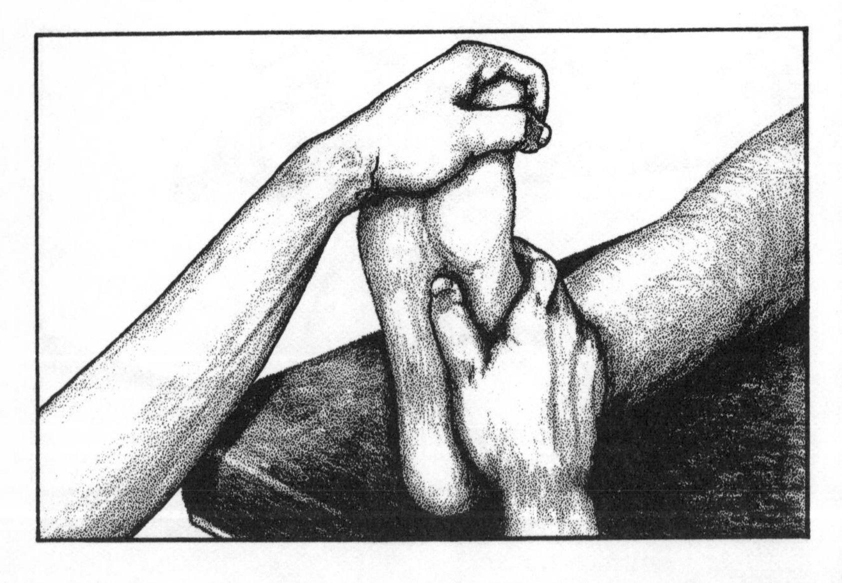

Position des mains et des doigts afin d'exercer une pression régulière.

EXERCICE No 11 – PRESSION SUR LE CUBOIDE ET ROTATION DE LA CHEVILLE

Placez vous à 45° du pied. Observez, à mi-distance du talon et des orteils un petit os boursoufflant la ligne extérieure du pied. C'est le cuboïde. Avec les mains enveloppant le dessus du pied encadrez des pouces le cuboïde et, tout en faisant tourner la cheville pressez des deux pouces.

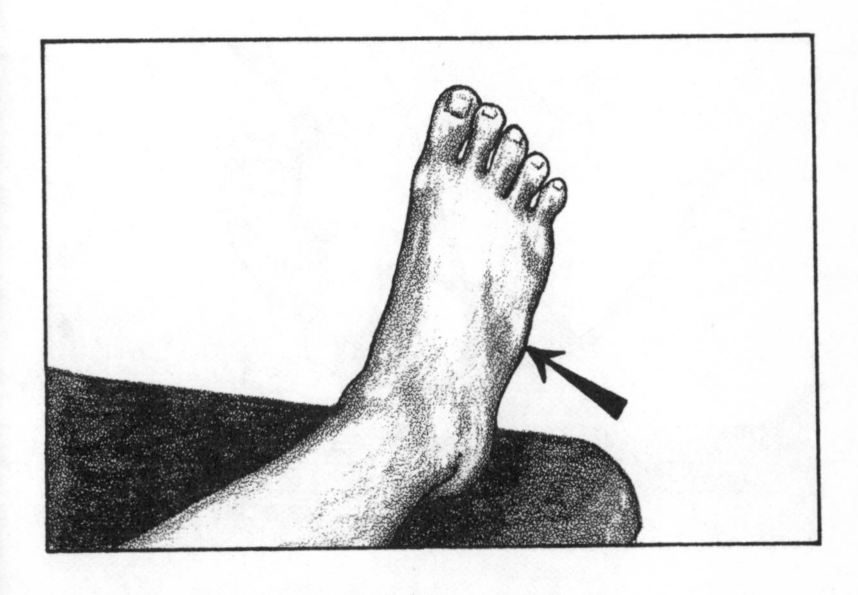

Localisation du cuboïde

Commentaire : Pour faire tourner la cheville, il faut être dans une position confortable.

Tous ces exercices sur le pied ont pour but de débloquer la circulation énergétique. Le travail s'effectuant uniquement au pôle sud du corps, la question de la polarisation de la force-de-vie ne se pose pas. *Aussi, peu importe vos positions de main pour autant que vous agissiez à votre aise. Une fois le travail sur le pied droit terminé, il faut passer au pied gauche pour y faire la même succession d'exercices.*

Si vous connaissez le massage réflexe, ou tout autre massage des pieds, alors sera venu le moment idéal de le mettre en œuvre car les résultats en seront encore les plus bénéfiques.

Un conseil encore : Faites une nouvelle pause dans cet apprentissage. Pratiquez à la perfection ce que vous avez appris. Ayez l'expérience claire et décisive des effets bienfaisants de votre action.

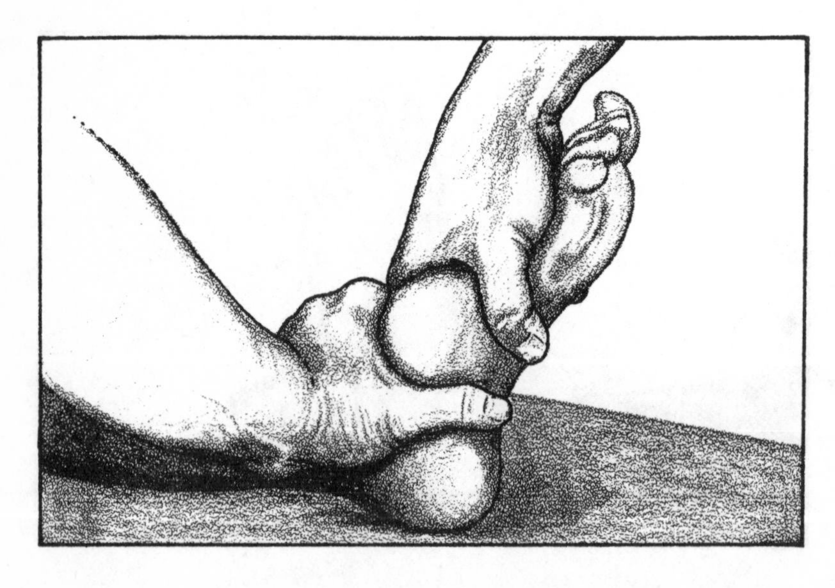

Comment presser le cuboïde tout en faisant tourner la cheville.

EXERCICE No 12 – PRESSIONS SUR L'OCCIPUT

Avec la tête de votre patient tournée à 45° à gauche, posez votre main gauche sur son front de manière à maintenir cette position sans effort de sa part. Le majeur de votre main droite, bloqué par les autres doigts serrés en poing fermé, va aller exercer une pression sur la face droite de la base de l'occiput pendant deux minutes environ.

La tête du patient sera tournée à 45° à droite pour permettre, en inversant l'usage des mains, d'appliquer une pression de la même nature sur la face gauche de la base de l'occiput.

Le majeur doit presser la base de l'occiput située à environ deux centimètres et demi sous l'oreille.

Commentaire : Afin de bien transmettre la pression, du majeur il faut bien sentir la base de l'occiput.

Regardez bien la position de la main fermée, le majeur dressé sur le dessin ci-contre. La main tenant le front ne doit exercer aucune pression.

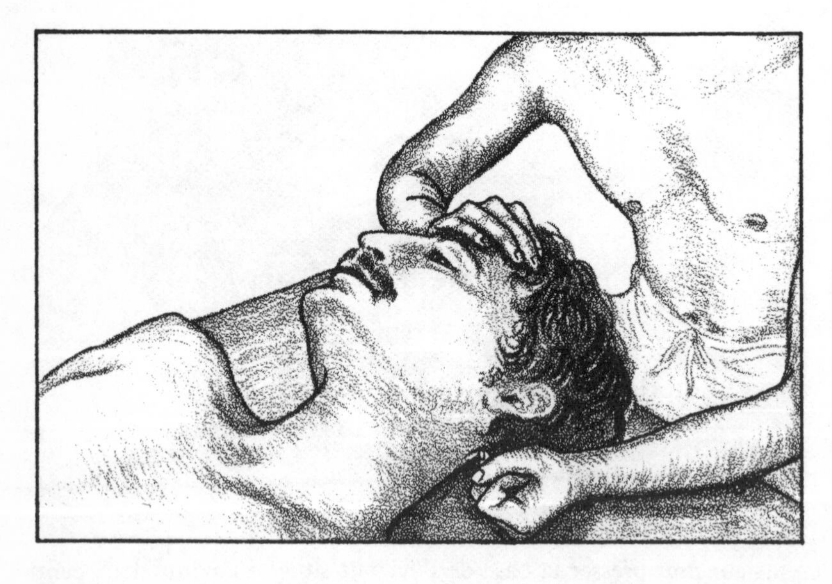

Comment placer les mains pour les pressions à la base de l'occiput.

EXERCICE No 13 – STIMULATION DU TRIANGLE POUCE-INDEX ET DU COUDE

A partir de la droite de la personne, prenez sa main droite pour pincer entre le pouce et l'index de votre main droite la pointe du triangle charnu séparant les racines du pouce et de l'index au lieu d'un point douloureux. Votre pouce gauche ira alors à la recherche d'une zone sensible juste sous le coude droit, vers la face extérieure de l'avant-bras. Une fois en place, stimulez alternativement l'un et l'autre point.

Commentaire : Pour localiser le lieu sensible de l'avant-bras descendez environ 2,5 cm au-dessous du creux du coude, puis déplacez votre pouce à peu près de la même distance vers votre gauche, soit l'extérieur de l'avant-bras. Avec les doigts de votre main gauche supportant le coude de votre patient, la position se révèlera aisée pour exercer une bonne pression.

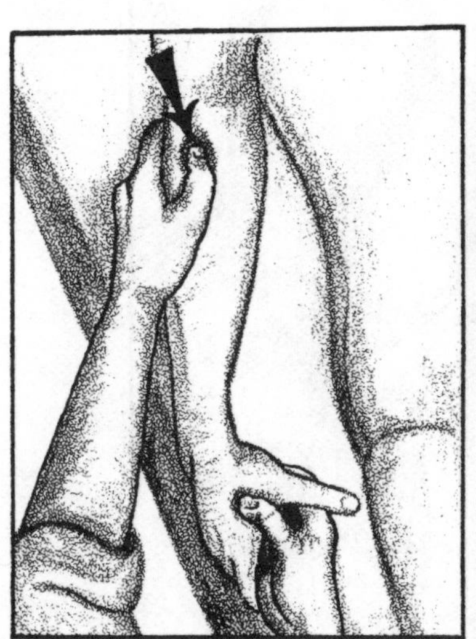

Saisie entre pouce et index, à gauche vue du dessus, à droite vue côté paume de la main.

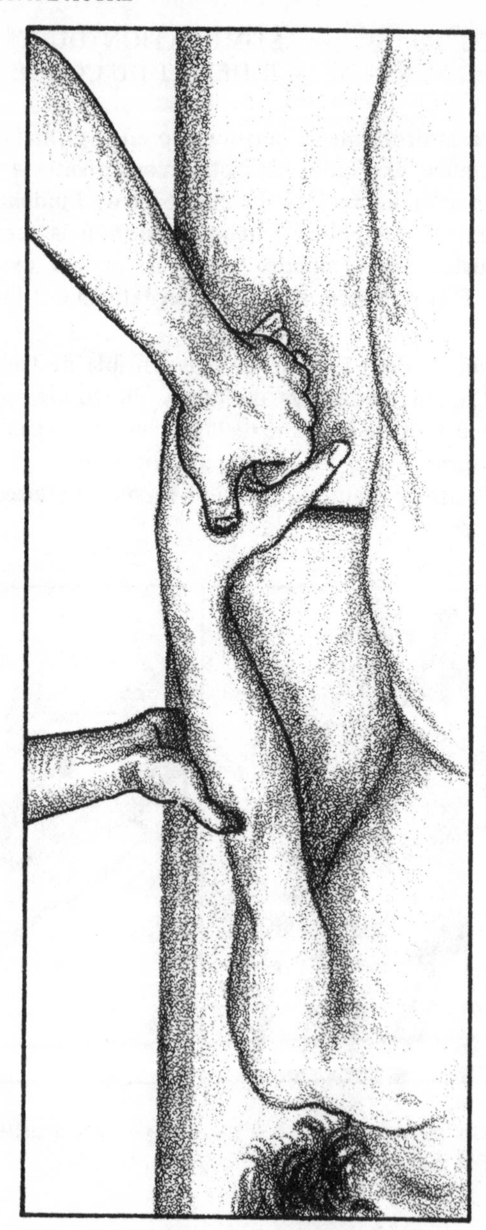

Position de stimulation alternative des zones entre pouce-index et haut de l'avant-bras.

EXERCICE No 14 – L'ETIREMENT DES DOIGTS

De la main droite saisir fermement un doigt le plus près possible de sa base, et tirer jusqu'à ce que le bras soit entièrement déplié, tout en repoussant en sens inverse de la main gauche tenant l'avant-bras.

Commentaire : Voici un mouvement qui se fait en quelques secondes. Ne vous évertuez pas à faire craquer les articulations. Le but est simplement de bien étirer chaque doigt.

Attention : N'oubliez pas de pratiquer les exercices 13 et 14 sur le bras gauche, en vous plaçant à gauche du patient.

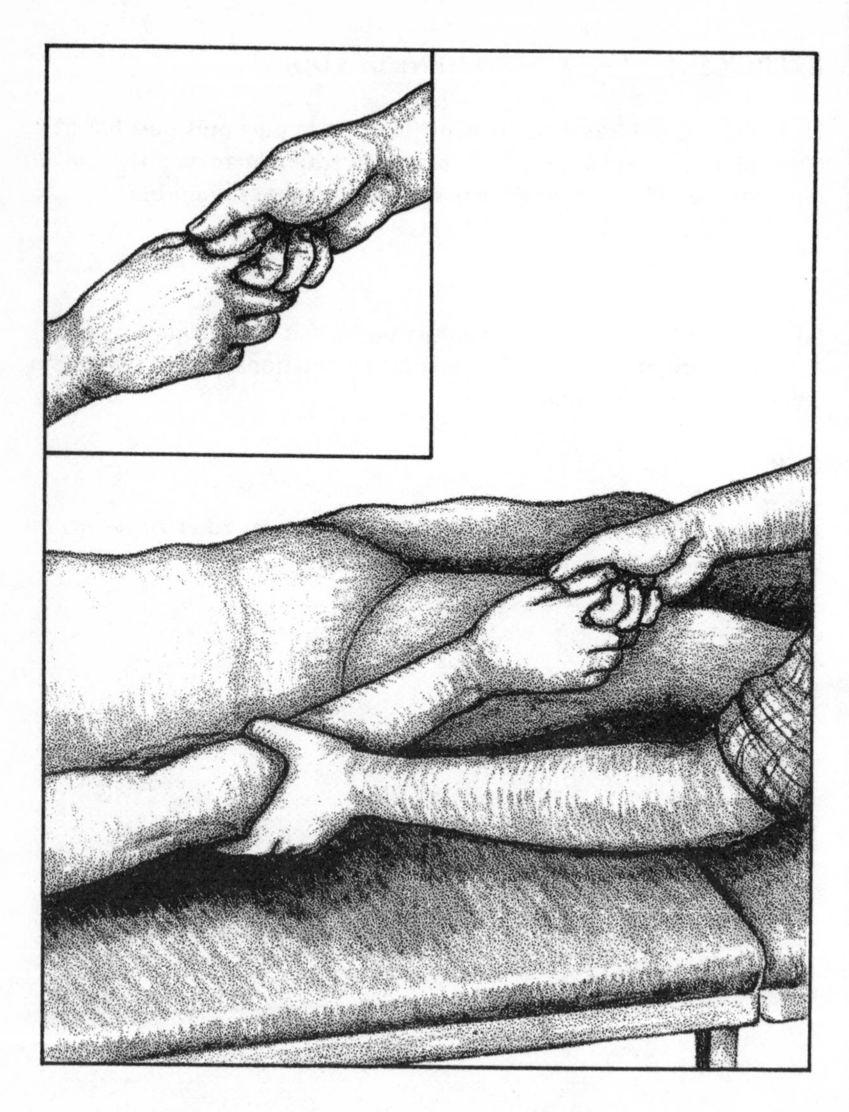

Position des mains pour étirer les doigts.

EXERCICE No 15 – PRESSION DE LA CLAVICULE ET BERCEMENT DU PLEXUS SOLAIRE

Revenu à la droite de votre compagnon, posez votre main droite sur son plexus solaire, juste au-dessous de la cage thoracique. Votre main gauche formant un point, le pouce libre et dirigé vers le bas va aller presser le creux juste au-dessous de la clavicule. Il faut alors des deux mains amorcer un bercement entretenu régulièrement du corps. Pendant ce temps-là, déplacez votre pouce gauche le long de la clavicule droite, et ensuite le long de la clavicule gauche. Cela est possible, car votre main gauche demeurant au-dessus de la droite elle peut aller des deux côtés tout en conservant la polarisation de l'énergie.

Position du poing et du pouce par rapport à la clavicule.

Commentaire : Le mouvement de bercement le plus important est donné par la main gauche. Il faut donc s'assurer de la fermeté de la position du pouce, car il ne doit pas glisser le long de la clavicule. Si un point sensible se manifeste sous la clavicule, il faut y exercer une pression pendant plus longtemps. Une fois le travail bien accompli, cessez le bercement tout en laissant les mains en place. Sentez la force-de-vie circuler entre elles.

Notre conseil : Nous vous recommandons de parfaitement connaître et pratiquer cette deuxième leçon avant d'aborder la suivante.

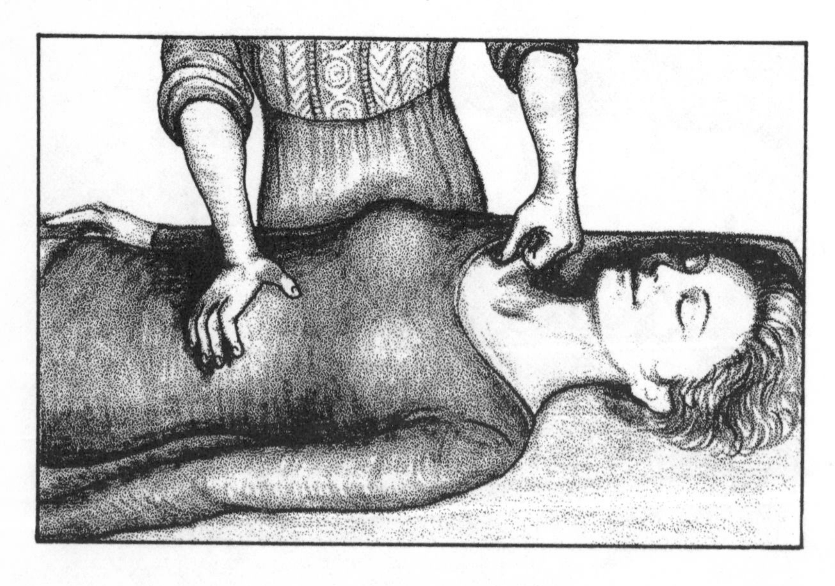

Position des mains et du pouce.

TROISIÈME LEÇON

Les mouvements de finition

Maintenant, vous avez obtenu par votre travail en profondeur le déclenchement des goulots s'opposant à la libre circulation de l'énergie. Il reste à polariser cette énergie libérée, et ceci en mettant en œuvre des techniques de contact très léger. Avant chaque exercice, souvenez-vous de bien frotter vos paumes l'une contre l'autre. Après chaque exercice, ne négligez pas le rejet de l'énergie statique en secouant vos mains.

EXERCICE No 16 – MAIN ET PIED

Placé à droite du patient, votre main droite prend son pied gauche et votre main gauche, sa main droite.

Ensuite, placé à gauche, votre main gauche ira à son pied droit, et votre main droite reposera sur sa main gauche.

Commentaire : Avant l'exercice, frottez vigoureusement vos paumes l'une contre l'autre. Une fois les mains en place, ne bougez plus tant que vous ressentirez l'énergie les traversant.

Votre compagnon respire-t-il à fond ?

Cette position se retrouvera dans le Cercle Polarisant (participants 5 et 6).

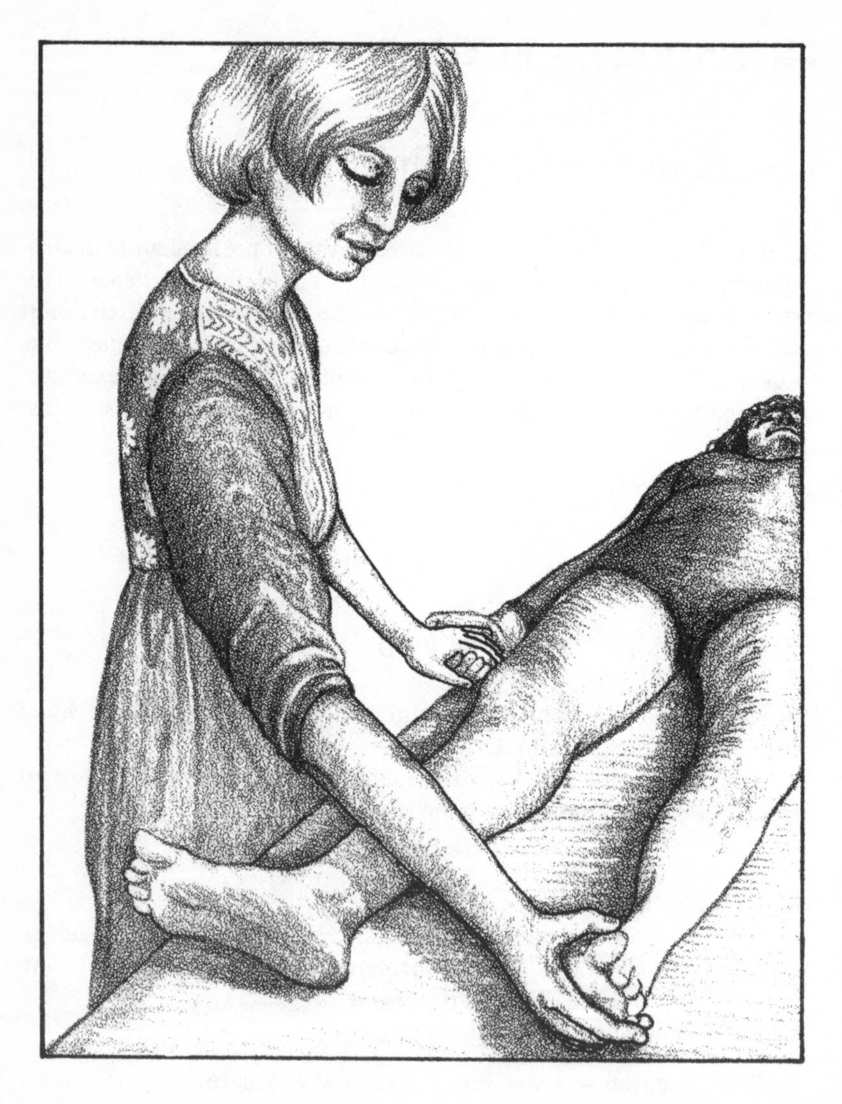

Liaison immobile du pied et de la main.

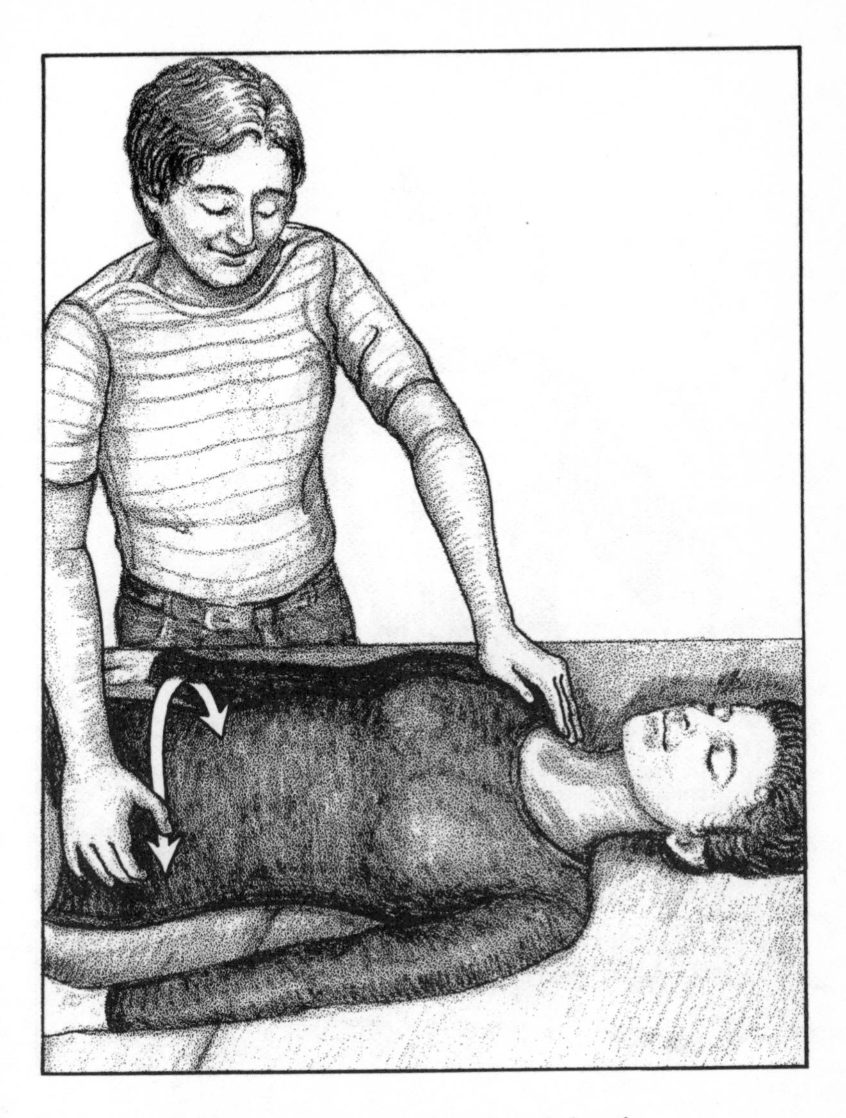

Position des mains sur l'épaule et la hanche.

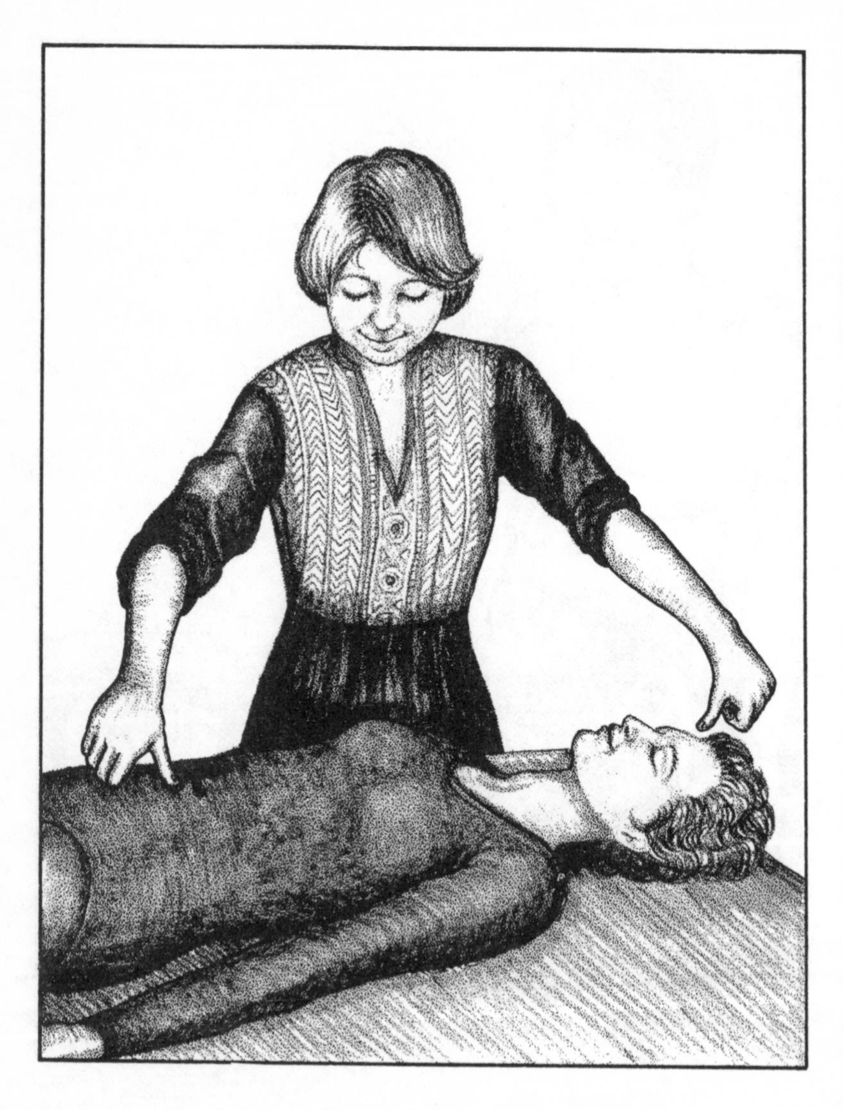

Position des pouces sur le nombril et le front.

EXERCICE No 17 – MAINTIEN D'EPAULE ET BERCEMENT DE LA HANCHE

Debout à droite du patient, vous empoignez de votre main droite sa hanche gauche, et vous pressez de votre main gauche son épaule droite. Bercez la hanche à un rythme régulier pendant une à deux minutes, puis demeurez immobile. Sentez bien la circulation de l'énergie dans vos mains.

En passant de l'autre côté, effectuez l'exercice symétrique, votre maïn gauche sur la hanche droite, votre main droite sur l'épaule gauche.

Commentaire : Le bercement affecte seulement le bassin tout en laissant les épaules immobiles.

Une fois le bercement terminé, chacun de vous sera surpris par l'intensité de la force-de-vie. Elle traversera vos mains. Quant au patient, il la ressentira circuler dans tout son corps.

Lorsque je donne cet exercice, j'ai des picotements dans les mains de une à cinq minutes.

Ces positions font partie du Cercle Polarisant (participants 3 et 4)

EXERCICE No 18 – LIAISON DU FRONT ET DU NOMBRIL

Debout à droite de la personne, fermez les deux mains tout en laissant les pouces libres et dirigés vers le bas. Lentement vous conduisez votre pouce droit juste au-dessous du nombril, et placez votre pouche gauche juste au-dessus du milieu du front, à environ 2,5 cm des arcades sourcilières, sans contact pour ce dernier. Conservez cette position immobile pendant plusieurs minutes.

Commentaire : Soyez certain que votre pouce gauche ne touche pas le front. D'ailleurs vous constaterez que l'énergie circule agréablement lorsqu'il en est éloigné d'environ deux centimètres. Là, le picotement sera le plus accusé.

Certains de vos patients percevront au cours de cet exercice de splendides couleurs, parfois même s'endormiront.

C'est une position fixe qui réclame de votre part une grande aisance. Veillez à ne pas être rigide, contracté.

EXERCICE No 19 – LA COURONNE DE DOIGTS

Vos doigts bien écartés seront placés sur le front de la personne avec les pouces presque reliés au sommet de son crâne. Aucun contact physique ne doit exister.

Commentaire : Ayez une position confortable. Vous allez entreprendre un exercice puissant qui procurera une grande détente chez votre patient. Tant que vous ressentirez les effets de l'énergie en mouvement, demeurez en place.

Une fois de plus souvenez-vous de frotter vos paumes l'une contre l'autre avant cet et tout exercice, et aussi de rejeter l'énergie statique accumulée sur vos mains, immédiatement après.

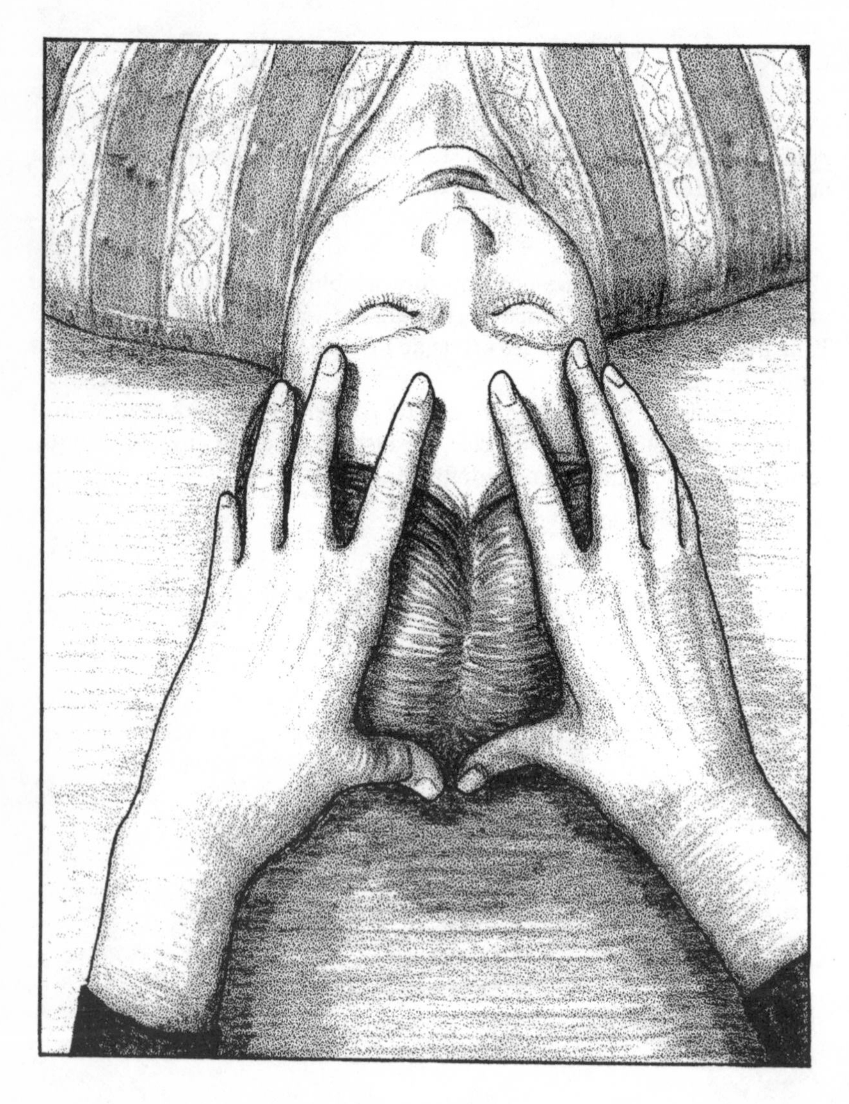

La couronne de doigts.

EXERCICE No 20 – LA RECHARGE DE LA COLONNE VERTEBRALE

Demandez à votre compagnon de se mettre à plat ventre. Frictionnez vos mains vivement l'une contre l'autre, puis placez votre main droite à la base de sa colonne vertébrale, votre main gauche juste à la naissance du cou. De votre main droite, et ce pendant quelques minutes, bercez doucement et régulièrement le corps. Une fois revenu à l'immobilité, gardez vos mains en place tant que circulera l'énergie.

Commentaire : Ce mouvement est l'un des plus importants de cette série pour les personnes ayant des douleurs lombaires.

Bercez exactement comme dans le Bercement du ventre. Une ou deux minutes après l'interruption du mouvement, levez légèrement vos mains jusqu'à localiser la distance à laquelle vous distinguerez la charge la plus grande.

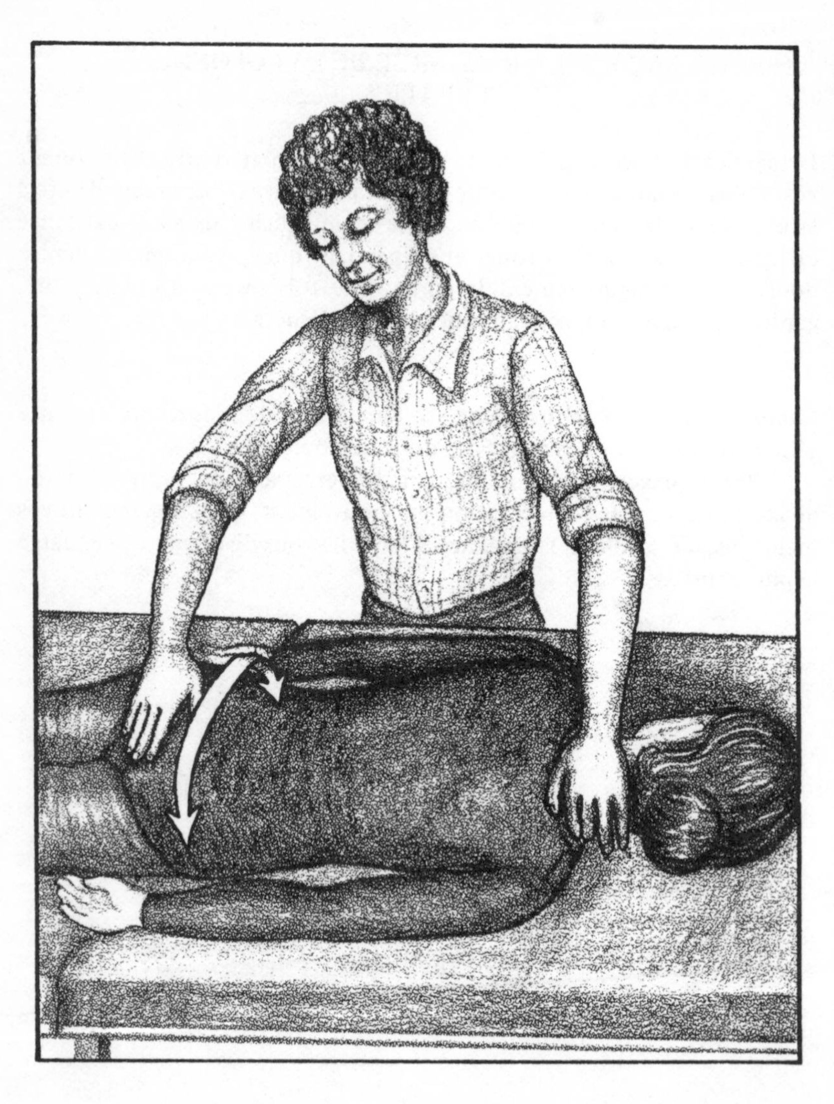

Position des mains pour la recharge de la colonne vertébrale.

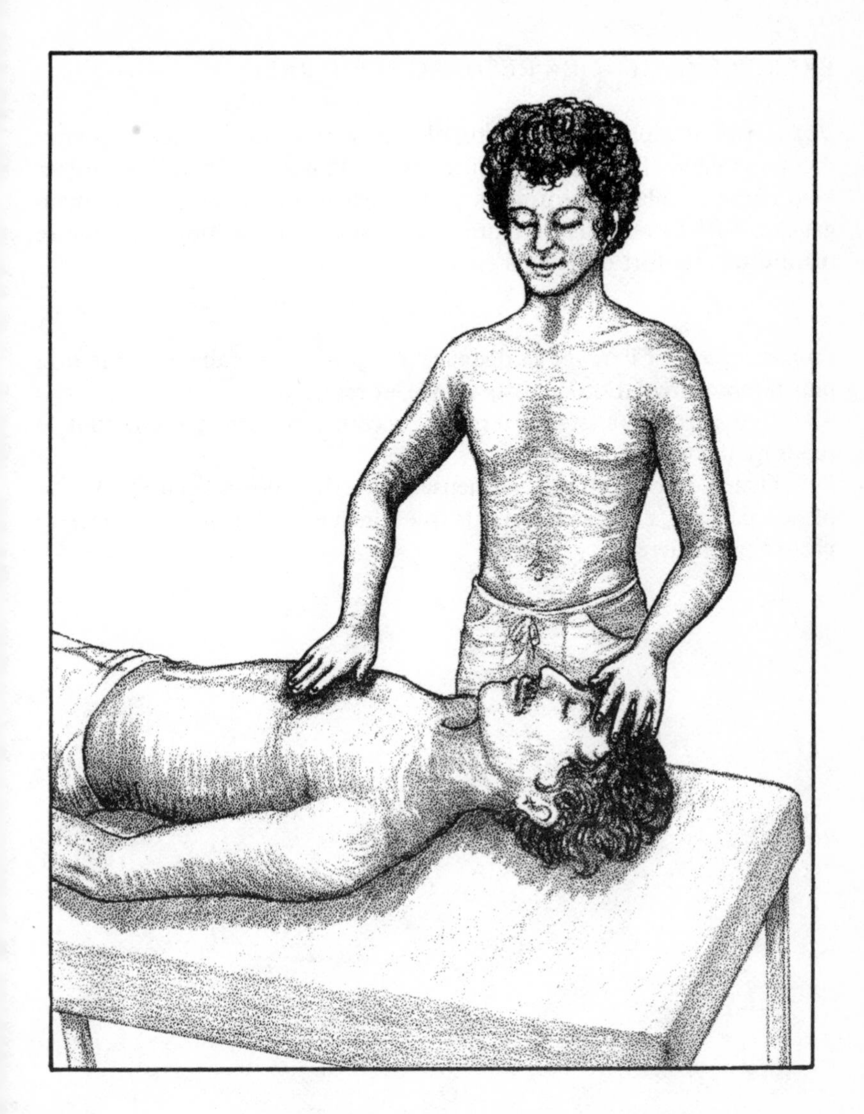

Position de recharge centrale.

EXERCICE No 21 – LA RECHARGE CENTRALE

Votre patient reprend sa position allongé sur son dos. Frottez très vivement vos mains l'une contre l'autre et dès l'instant où vous les sentirez bien chargées, placez la droite à plat au-dessus du cœur, et votre main gauche étalée au-dessus du front. Conservez cette position tant que se manifestera un fort échange d'énergie.

Commentaire : Cherchez la distance à laquelle vos mains ressentent la plus intense circulation de force-de-vie, et restez-y.

Une fois cet exercice terminé, accordez à votre patient tout le repos qu'il souhaite.

Quant à vous, rincez soigneusement vos mains à l'eau froide. Ne passez pas aux exercices suivants que lorsque la personne se déclarera prête à poursuivre.

EXERCICE No 22 – L'EFFLEUREMENT DU DOS

Le patient se redresse et s'installe assis sur le rebord de la table de travail. Du bout de vos doigts tapotez doucement son dos en suivant le parcours décrit par les dessins ci-contre. Vous commencerez avec les mains placées sur les épaules du patient qui laissera ses bras pendre le long de son corps. Progressez au travers des épaules, mouvement qui croisera vos bras. Alors, la main droite descendra à gauche du dos, la gauche de l'autre côté, le droit. A hauteur de la taille, vos mains traverseront, et ainsi se décroiseront vos bras.

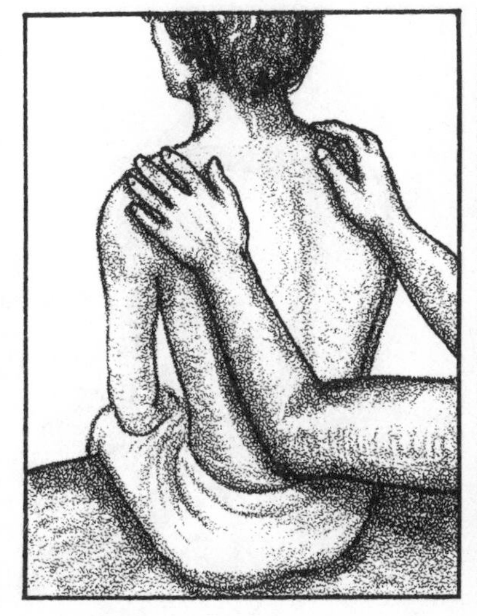

1. Position de départ.

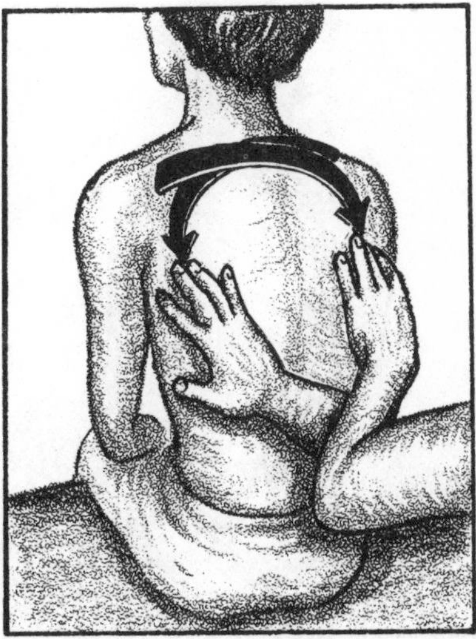

2. Les mains se croisent.

Commentaire : Au début, le martèlement des doigts sera assez fort, puis graduellement il s'atténuera jusqu'à n'être presque qu'un toucher extrêmement léger, quasi insensible.

Chaque fois que le mouvement sera accompli, déchargez vos mains de toute énergie statique accumulée en les secouant vivement.

Nous avons ici un excellent exercice, même si le temps qui vous est imparti n'est que de quelques minutes.

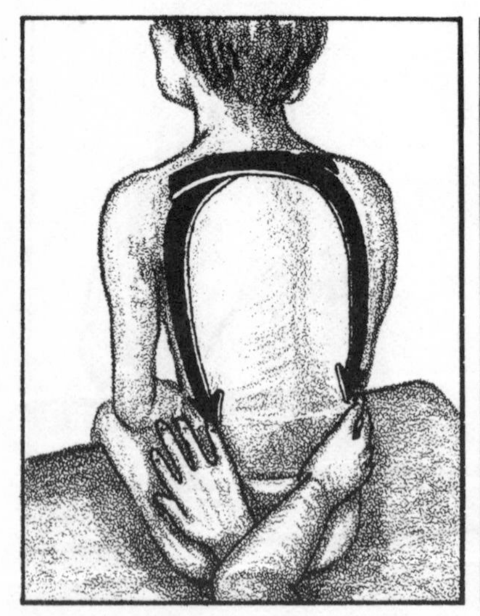

3. Descente, les bras croisés.

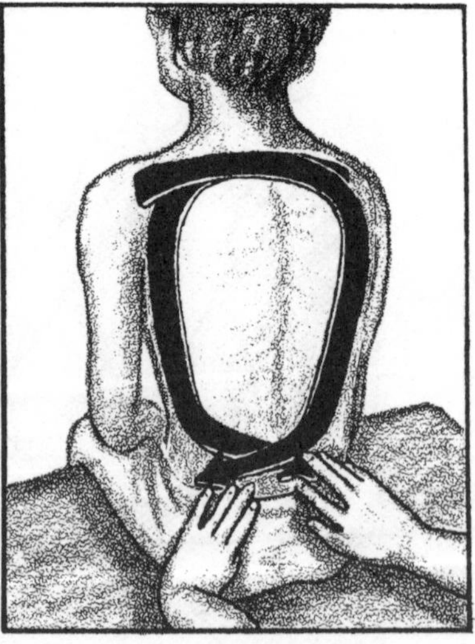

4. Les mains se croisent, les bras se décroisent.

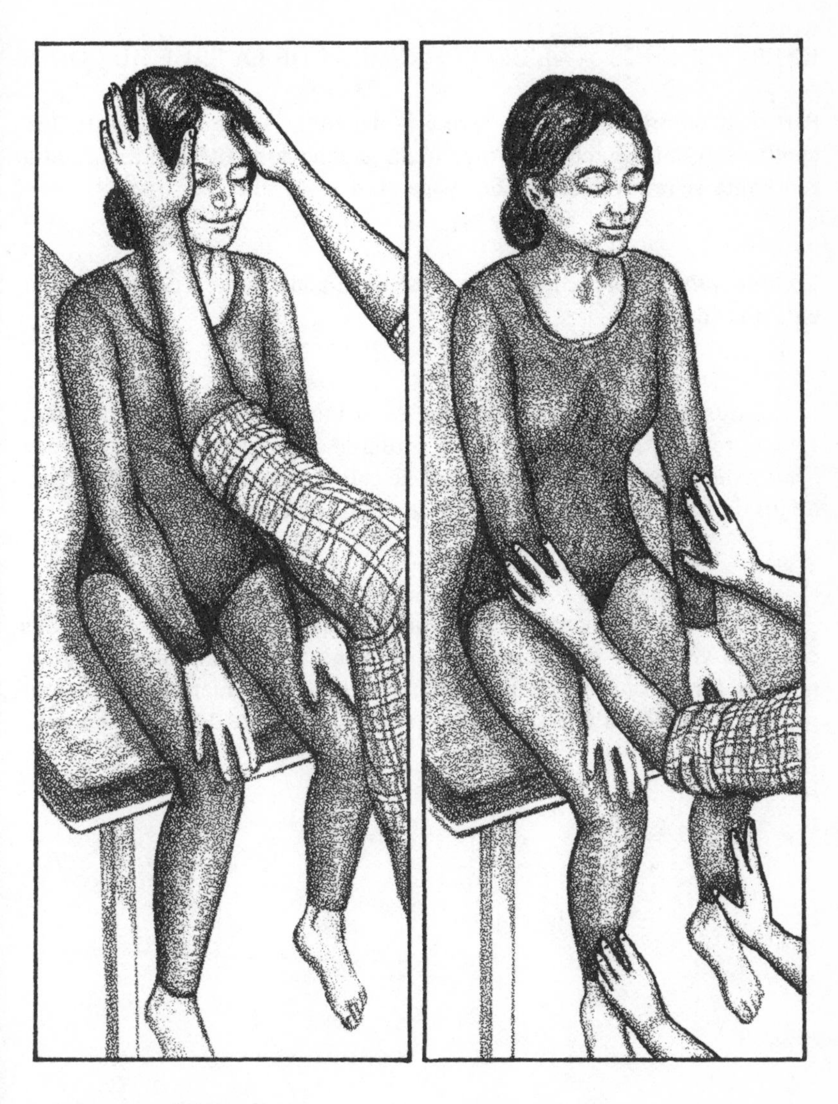

1. Position de départ.

2. Passage devant.

EXERCICE No 23 – L'EFFLEUREMENT DE LA FACE DU CORPS

Partez du sommet du crâne, face à la personne, votre main droite descendra son côté gauche, et votre main gauche son côté droit. Il faudra reprendre ce mouvement de balayage dix fois de suite.

Commentaire : La technique de contact sera identique à celle de l'exercice précédent.

Nous voici arrivés à un terme où il faut accorder à votre patient tout le repos qui lui est dû et qu'il souhaite. *Allez passer vos mains sous l'eau froide.* Profitez de ce moment de calme pour servir un verre d'eau, de jus de fruit, ou une tisane, selon le plaisir de chacun.

Les trois leçons que nous venons de parcourir ensemble, je vous conseille vivement de les pratiquer souvent avant d'aborder ce que je nomme les "mouvements particuliers", car ces derniers n'auront leur pleine efficacité qu'à la suite d'une session complète de "l'un-à-l'autre" bien reçue.

La simplicité

On a longtemps et souvent laissé entendre que toute médecine pour être bonne médecine avait aussi sa potion amère, que toute thérapie effective devait être difficile à suivre, et qu'une méthode intelligente se devait d'être compliquée.

L'équilibrage énergétique polarisant tranche sur ce fond de ragot classique. Elle s'avère simple et néanmoins efficace.

Que cette simplicité ne vous déconcerte pas !

L'apparence de simplicité, telle celle de la pomme d'un pommier, recouvre un mystère aussi primordial que celui de l'essence de la vie dans la moindre des cellules vivantes.

La méthode de polarisation énergétique, système de restauration du courant naturel de la force-de-vie, apporte de nouveaux moyens pour guérir et permettre une évolution personnelle.

Elle pourrait bien conduire à l'étape vraiment révolutionnaire qui est la saine prise de conscience des vrais besoins de l'homme.

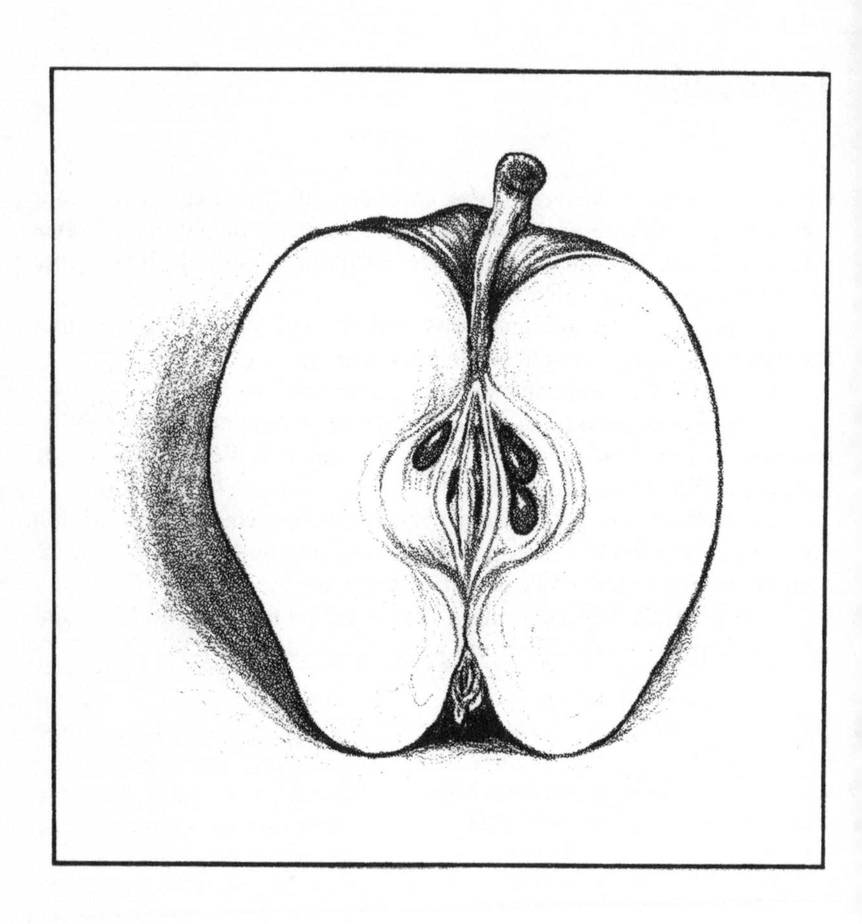

TROISIÈME PARTIE

Les mouvements particuliers

Une fois acquise la maîtrise de la session générale, vous pourrez aborder les mouvements particuliers. La séance générale conduit à faire circuler la force-de-vie dans le corps en éliminant les étranglements sur son passage. Ces zones de ralentissement ou de blocage, qui se sont établies depuis très longtemps, réclament pour assurer leur transformation une concentration du flot de la force-de-vie que les mouvements particuliers produisent.

Ces mouvements peuvent être introduits en cours de séance générale de "l'un-à-l'autre", mais seulement une fois l'exercice No 15 accompli.

Réflexions harmoniques

Au cours de la vie de tous les jours, nous pouvons penser que la science a tout bien expliqué. Nous oublions facilement que les forces les plus fondamentales dans notre vie demeurent des champs inexpliqués et fort mystérieux.

Par exemple, nous n'avons pas les bases scientifiques expliquant le magnétisme, la gravitation, et même cette électricité que nous produisons et utilisons si facilement. Cependant, en faire usage n'exige pas leur parfaite connaissance. Pour nous, la force-de-vie demeure tout aussi mystérieuse que le magnétisme, la gravité et l'électricité. Nous avons appris à faire usage de ces dernières, par conséquent nous pouvons mettre à notre service la force-de-vie, ressource naturelle la plus simplement disponible.

Chaque cellule du corps est le reflet de la totalité du corps. Chacun contient l'information génétique lui permettant de réaliser ce corps tout entier. Par enchaînement, une action réflexe harmonique sophistiquée lie entre elles des zones spécifiques de notre corps. Il semble qu'il existerait un invisible réseau de communication que le Dr Randolph Stone nomma "anatomie sans fil" (par analogie avec la téléphonie sans fil, TSF). Pour le mettre en œuvre, il n'est nul besoin de savoir sa vraie nature.

Comment cela s'applique-t-il aux mouvements particuliers ?

Notre corps peut se diviser en zones horizontales de charge électrique soit positive (+), soit négative (–), soit neutre (0). Une zone chargée positivement s'avère être zone réflexe de la condition des autres zones de charge positive. Il en est de même pour les zones neutres entre elles, et négativement entre elles mêmes.

L'imposition d'une stimulation par pression, ou l'introduction de force-de-vie dans une zone se transmettra et sera ressentie par réflexe harmonique dans toutes les zones de même charge électrique.

Zones horizontales polarisées

Chaque partie du corps se divise en tranches de charges positives, neutres et négatives. Des épaules au sommet du crâne, on trouve trois zones de charge négative, neutre et positive. De même pour l'ensemble du pelvis aux épaules et l'ensemble des pieds aux hanches. La paume des pieds et celle des mains ont aussi les trois mêmes zones.

Les zones positives ainsi déterminées sont des zones réflexes harmoniques de toutes les autres zones positives. Il en est de même pour les zones négatives et les zones neutres.

L'axe

Le corps connaît aussi une division selon la verticale, avec comme axe de symétrie une ligne passant du nombril au nez. En position debout, vous vous apercevrez que vos gros orteils encadrent cette ligne dès que vos pieds sont joints. Les gros orteils, par le même raisonnement, seront zones réflexes des autres zones proches de cet axe, alors que les petits orteils sont zones réflexes des parties du corps les plus éloignées dudit axe.

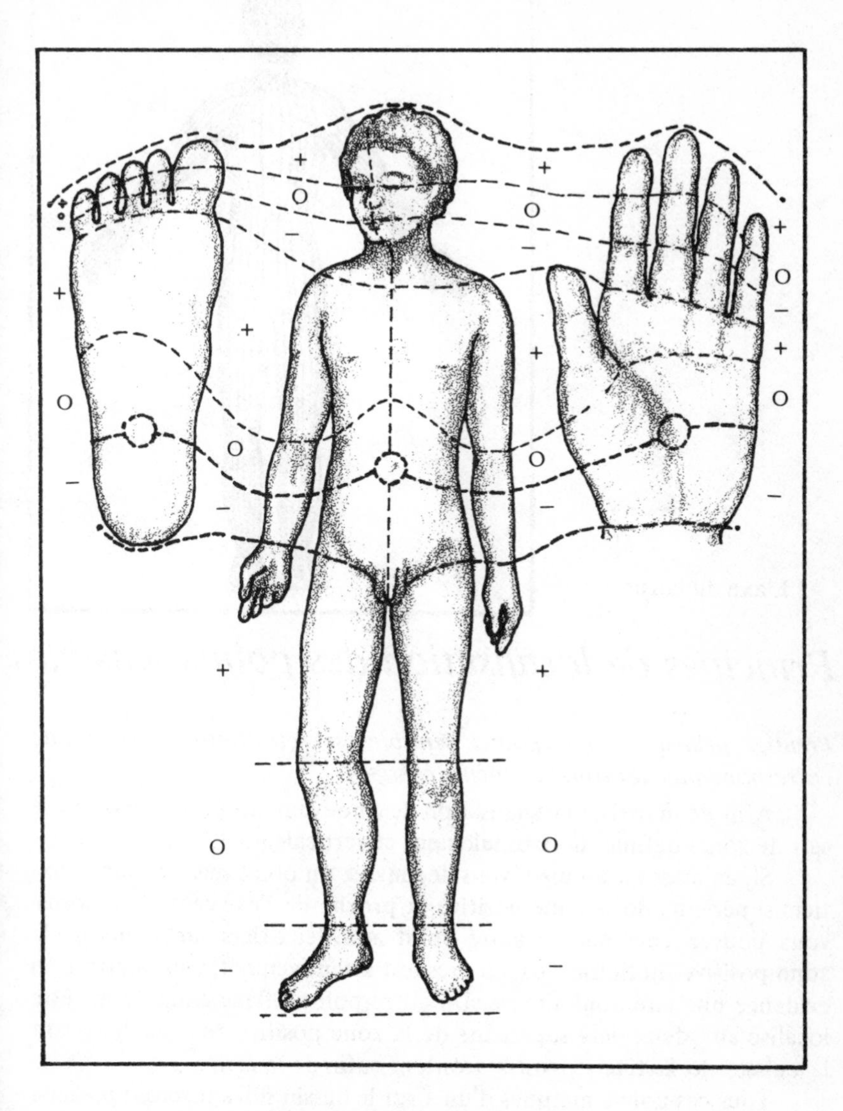

Carte de la polarité du corps.

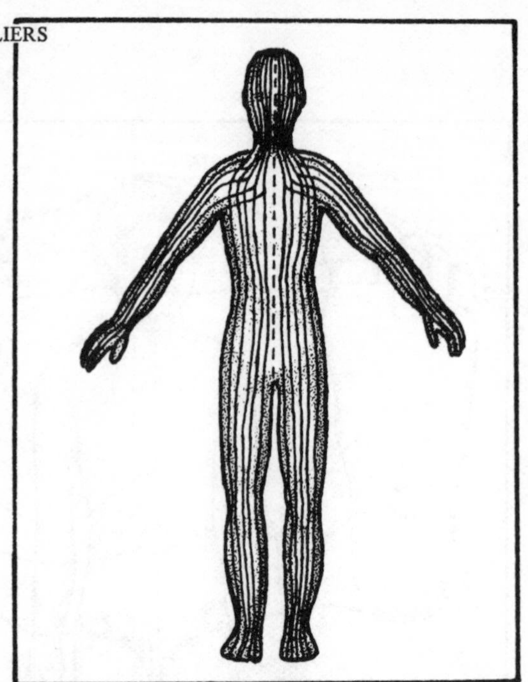

L'axe du corps.

Principes de localisation des points sensibles

***Premier principe** : Les points sensibles se retrouveront aux points correspondants des zones de même charge.*

Afin de maîtriser l'organisation des mouvements particuliers, on se sert de zones définies horizontalement et verticalement.

Si, en massant un pied, vous découvrez un point sensible aux deux-tiers supérieurs de sa zone positive et proche de l'axe central du corps, vous pouvez chercher un autre point aux deux-tiers supérieurs de la zone positive du thorax. Là, en pressant attentivement, vous mettrez en évidence une aire douloureuse. Un autre point réflexe pourra aussi être localisé aux deux-tiers supérieurs de la zone positive de la jambe – soit la cuisse, de la tête – soit le front, et enfin de la main.

Tous ces points marqués d'un x sur le dessin suivant seront presque assurément des aires sensibles.

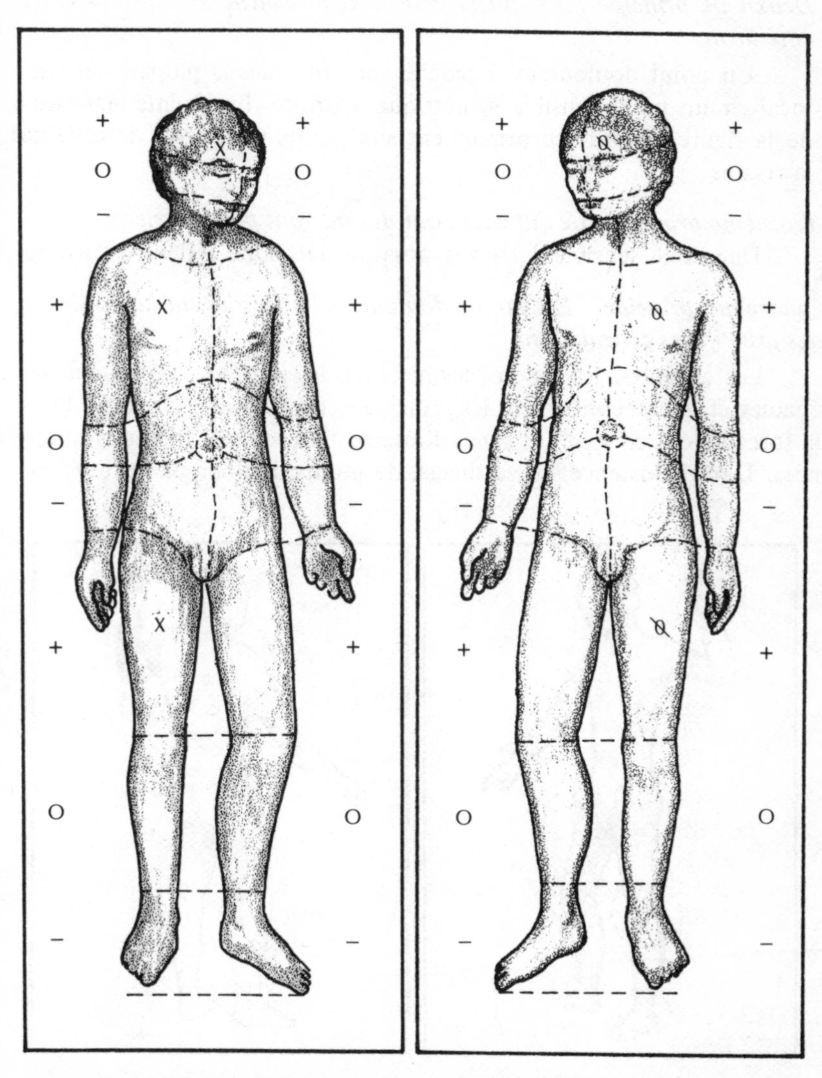

x indique les points sensibles dans les zones de même charge.

ϕ indique les points symétriques sur le côté gauche du corps.

***Deuxième principe** : Ce qui affecte le côté gauche affecte souvent le côté droit.*

Un point douloureux à gauche conduit, dans la plupart des cas à localiser un point sensible symétrique à droite. Les points marqués ϕ de la figure suivante correspondent aux points marqués x de celle qui la voisine.

***Troisième principe** : Ce qui vaut pour devant vaut pour derrière.*

Une zone sensible à l'avant possède une zone réflexe à l'arrière.

***Quatrième principe** : Les points douloureux sont souvent au voisinage des principales articulations.*

Les chevilles, les genoux, les hanches, les poignets, les coudes, les épaules et le cou constituent les principales articulations du corps. Pour la force-de-vie, ce sont des zones d'intersection souvent très congestionnées. D'où l'existence, au voisinage, de points douloureux au toucher.

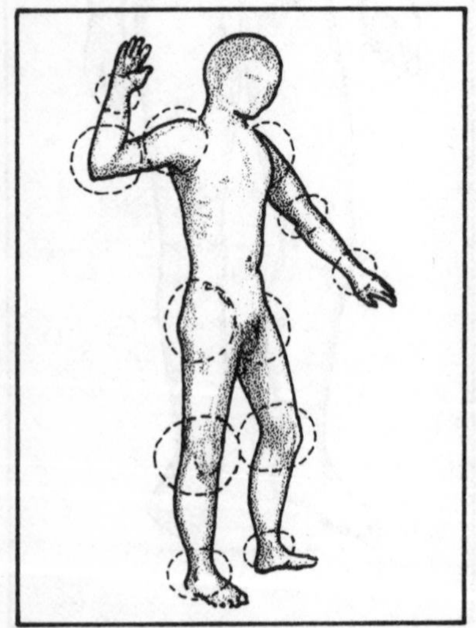

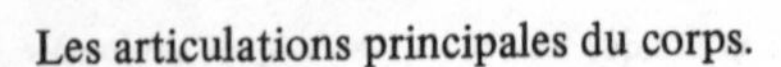

Les articulations principales du corps.

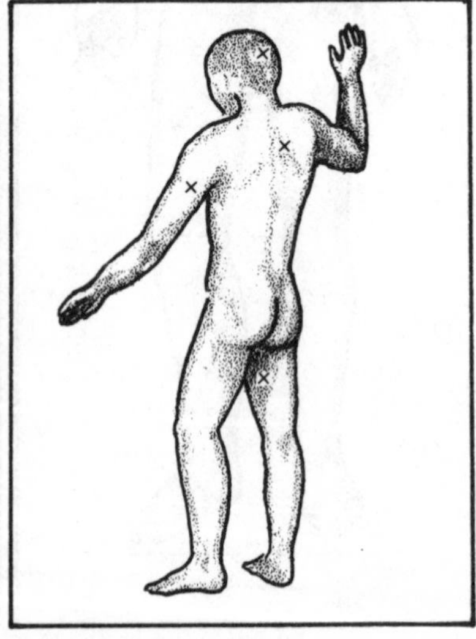

Les points réflexes à l'arrière correspondant à ceux de l'avant.

L'identification des zones sensibles

Les points sensibles sont souvent causés par un déséquilibre au niveau des tissus, des muscles, des os, des organes et de la circulation lymphatique. Grâce à une carte anatomique, en situant la position des différents organes du corps, il devient possible de les associer avec les points douloureux.

Par exemple, pour connaître les zones réflexes du foie, considérons sa position à droite, directement sous la cage thoracique, puis situons-le par rapport à l'axe central du corps. Maintenant constatons qu'il est dans la partie la plus basse de la zone positive de la poitrine. En regardant la représentation de la plante des pieds, il s'avère facile de comprendre pourquoi la zone réflexe du foie y est ainsi définie.

Un point douloureux signale un endroit où se bloque la force-de-vie, réaction qui nous informe d'un problème de l'organe correspondant. A moins d'être médecin, vous ne pouvez pas en dire plus.

Evitez toujours d'émettre un diagnostic.

Une personne affaiblie peut facilement s'impressionner, et il serait vraiment maladroit de lui annoncer sa maladie de but en blanc. Il y a une chance pour qu'elle accueille votre diagnostic pour le développer en une maladie réelle alors qu'il ne s'agissait que d'un symptôme. La suggestion peut déclencher une inquiétude réelle, car croire en une maladie peut conduire à un mauvais état général.

Les séances d'équilibrage énergétique sont une pratique à poursuivre dans un but de développement personnel, de plaisir, d'activité de groupe, de recherche de bien-être. En aucun cas il ne faut se laisser aller à prétendre faire un diagnostic, prescrire un médicament, guérir, ne serait-ce que parce que la loi réserve ces actes à un médecin diplômé. La seule action raisonnable sera de conseiller la consultation d'un médecin pratiquant une approche globale de la santé humaine.

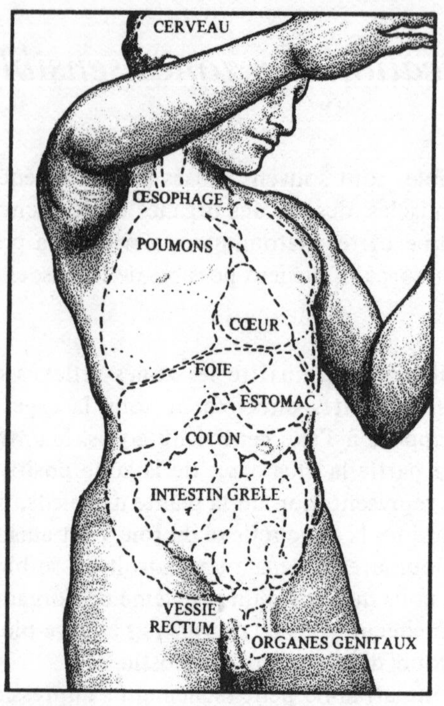

Carte physiologique élémentaire.

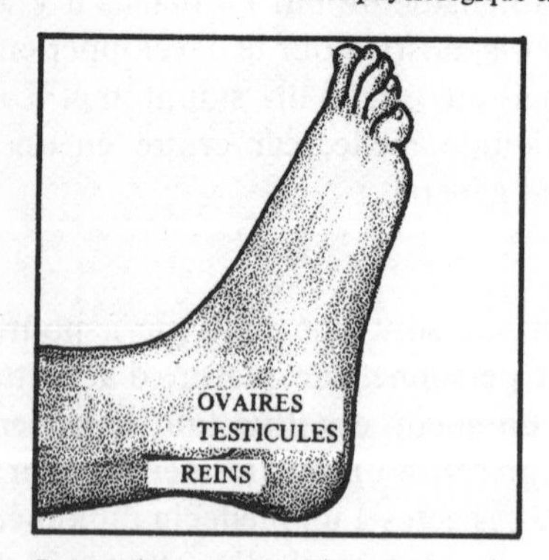

Points réflexes de l'extérieur de la cheville.

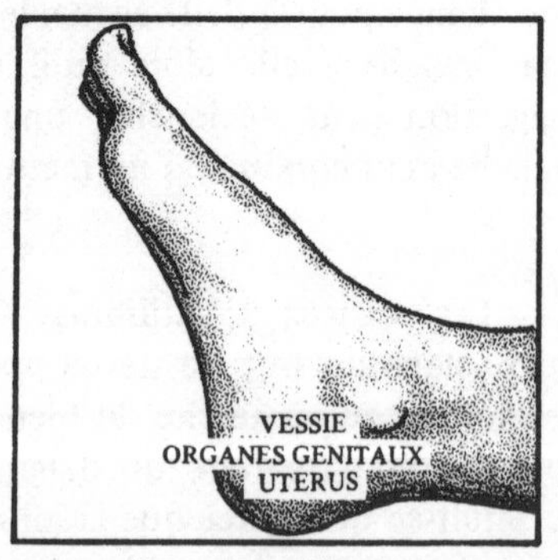

Points réflexes de l'intérieur de la cheville.

Principes des mouvements particuliers

Lorsque vous vous engagerez dans l'étude des mouvements particuliers, sachez que le principe fondamental sera de localiser les zones sensibles d'un côté ou des deux de l'aire bloquée dans le but de polariser le courant énergétique la traversant.

Voici comment procéder :

1. *Déterminer le lieu du blocage de la force de vie.*

En premier lieu, il faut localiser le point douloureux et ensuite à l'aide de la carte de polarisation déterminer de quel organe ou partie du corps il est zone réflexe.

2. *Projeter la polarisation de l'énergie le long des lignes de forces verticales et diagonales.*

Il suffit de considérer le corps tel un aimant, avec sa charge positive en haut et sa charge négative en bas. La plus grande différence de potentiel existe donc en reliant ces deux extrémités. La polarisation de l'énergie sera d'autant plus efficace qu'elle se fera sur l'axe central, verticalement ou en travers (diagonale) du corps.

Les lignes horizontales conduiront à de très faibles effets.

Attention : N'exercez jamais de pression sur des parties tuméfiées ou infectées. En clair, ne pressez pas un poignet traumatisé ou une plaie. Néanmoins, vous pouvez trouver une action efficace, tout d'abord en pratiquant une session générale d'équilibrage énergétique, puis en dirigeant l'énergie au travers de la partie accidentée sans avoir à la toucher. En troisième lieu, s'il s'agit par exemple d'une fracture du poignet, donnez un massage profond à l'autre poignet qui, évidemment, en est zone réflexe.

N'oubliez pas qu'un massage profond doit toujours éviter les organes internes, c'est-à-dire le colon, l'intestin grèle, la vessie, etc. Une forte pression ne peut s'exercer que sur le tissu musculaire et sur les os.

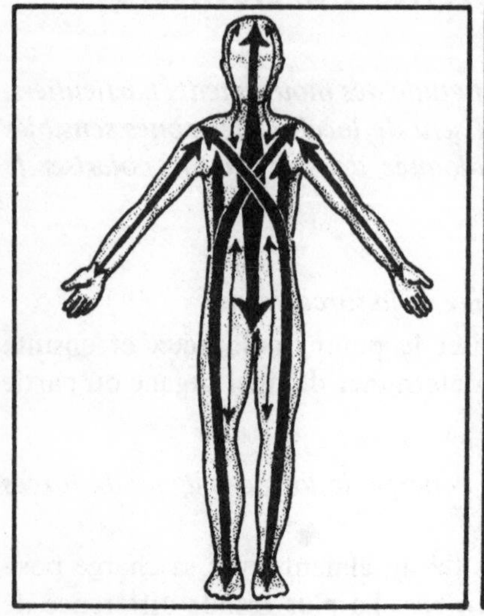

Lignes de force puissantes.

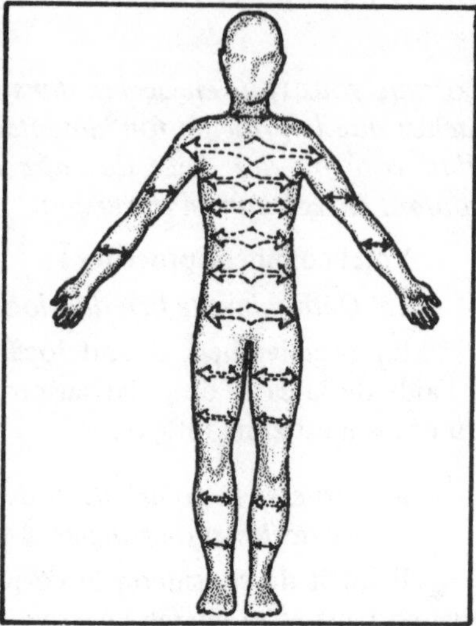

Lignes de force faibles.

Mise en application de ces principes

Voyons maintenant comment faire usage des principes gouvernant les mouvements particuliers.

1. – *Identifier les points douloureux selon les organes ou parties du corps correspondants.*

Commencez en massant les pieds. Soyez attentif aux zones sensibles; marquez-les si besoin est. Identifier de quel organe ou partie du corps elles sont réflexes. Par exemple, un point sensible a été découvert à la partie supérieure de la région neutre de la plante du pied. Un examen de la carte de polarisation permet de savoir que ce point est zone réflexe de la partie transversale du colon.

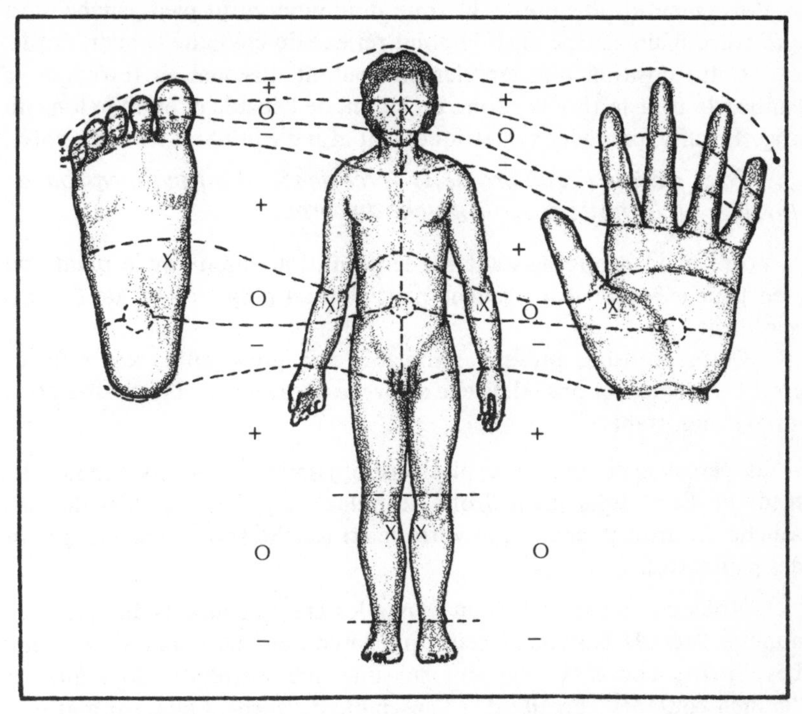

Points sensibles, zones réflexes de la partie supérieure du colon.

2. – *Identifier et localiser les autres zones réflexes.*

En poursuivant notre exemple, les autres zones réflexes se situent donc sur l'autre pied, en haut des mollets, peut-être aussi dans les paumes des mains – sous le pouce, en haut de l'avant-bras, sur les paumettes et au dos du corps dans les mêmes parties des zones neutres. Il est probable que la plupart de ces zones seront sensibles au toucher.

3. – *Débloquer la force-de-vie en polarisant.*

Pour diriger l'énergie entre ces points douloureux, vous pouvez laisser libre cours à votre créativité. Voici quelques suggestions :

– Votre main droite presse la zone douloureuse du pied gauche alors que votre main gauche saisit le point réflexe du colon de la main droite.

Cette position fera circuler un courant diagonal au travers de la jambe, de tout le thorax, donc du colon, de l'épaule et enfin le long du bras. Ensuite, procéder symétriquement afin d'équilibrer les deux côtés.

Pour réaliser l'équilibre de la force-de-vie, il est indispensable de travailler sur la droite et sur la gauche du corps.

– Votre main droite agissant sur le point douloureux de la plante du pied gauche, votre main gauche peut aller au point réflexe de l'avant-bras droit.

Cette position, presque semblable à la précédente, sera efficace pour les mêmes raisons. Mais elle assure le dégagement d'une autre zone réflexe importante.

– La personne se mettant à plat ventre, jambes pliées aux genoux, les pieds en l'air, de la main droite stimulez les points sensibles du pied gauche ou droit pendant que votre main gauche travaille sur les points des paumettes.

Voilà comment mettre en œuvre les grands courants du corps. On nomme "grands courants" ceux qui parcourent de grandes distances. Les "petits courants" agissent sur une aire restreinte alors que les "grands courants" profitent à l'ensemble du corps. Celui qui a atteint une grande pratique mêle ces deux effets en créant des mouvements particuliers et obtient ainsi d'excellents résultats.

– Le patient s'allonge sur le dos. Sans pression aucune, vous placez votre main gauche sur la zone intestinale, et de la main droite vous allez localiser puis stimuler les points réflexes des mollets en y exerçant toute la pression acceptable sans peine.

Remarque : Votre main gauche étant placée au centre du corps, votre main droite peut agir indifféremment sur la jambe gauche ou droite.

Puisque votre main gauche est posée sans pression, il ne faut pas oublier d'effectuer le frottage des paumes avant de commencer cet exercice, avant d'entrer dans le champ énergétique de l'autre. Et comme pour tout mouvement sans pression, une fois terminé, n'omettez pas de décharger l'énergie statique de vos mains, toujours en les secouant fortement vers la terre.

– De la main droite stimulez la zone sensible de la paumette gauche pendant que votre main gauche réalise le contact avec les points correspondants au-dessous du genou, de la jambe droite.

Ensuite, équilibrez le corps en faisant par symétrie le même traitement.

Chacun des exercices ci-dessus canalisera de l'énergie par les principaux centres réflexes du colon.

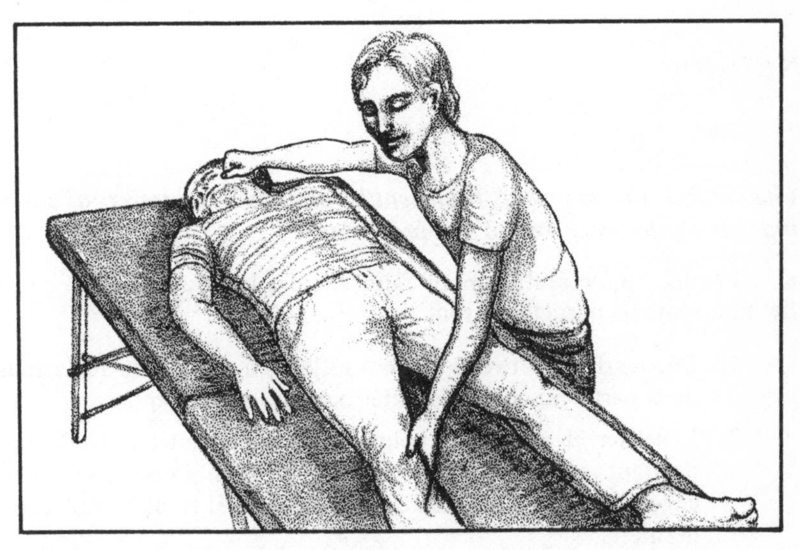

Polarisation de points sensibles de la paumette et du mollet.

4. – *Faire circuler l'énergie entre des points de caractère différent.*

Si vous avez localisé des points sensibles réflexes d'organes différents, vous pouvez travailler deux d'entre eux, même s'ils n'appartiennent pas au même système réflexe. Toutefois, assurez-vous que l'énergie libérée circulera au travers des organes qui en ont le plus besoin, c'est-à-dire les plus bloqués.

Par exemple, il n'y a pas d'inconvénient à relier les zones réflexes intestinales des mollets avec les zones réflexes des poumons situées dans la partie supérieure du corps.

L'idée fondamentale est d'activer les zones sensibles et de polariser l'énergie au travers des endroits subissant les blocages les plus importants.

Résumé

Chaque fois que vos mains polarisent la force-de-vie au travers de zones bloquées, votre intervention sera profitable.

Les moyens essentiels pour faire circuler la force-de-vie au cours des mouvements particuliers sont :

1. Découvrir et activer les zones réflexes au-dessus et au-dessous de la partie du corps identifiée comme étant bloquée.
2. Localiser et activer un point réflexe plus haut que le blocage pendant que de l'autre main, posée sans pression sur l'aire engorgée, vous canaliserez directement l'énergie sur cette dernière.
3. D'une main, localiser et activer un point réflexe plus bas que l'aire bloquée, pendant que l'autre influe directement sur celle-ci.
4. Activer en même temps deux zones réflexes qui ne sont pas directement en ligne avec la partie bloquée.
5. Associer des zones réflexes non reliées pour autant qu'elles sont l'une au-dessus et l'autre au-dessous de la région à libérer.

Principales zones dynamiques

Le corps possède des zones exceptionnellement perméables à la force-de-vie. Ces zones principales peuvent être mises en liaison avec les points douloureux.

Ces zones sont :
- Le coccyx
- Le nombril
- La base de l'occiput.

Le coccyx

Le centre de polarité le plus important se situe à l'extrémité inférieure de la colonne vertébrale, c'est le coccyx.

Jamais on n'insistera assez sur son importance. Il porte la charge négative la plus élevée de la colonne vertébrale. Il est facile de placer le majeur de votre main droite à la pointe même du coccyx, puis de la main gauche d'activer n'importe quelle zone sensible placée plus haut

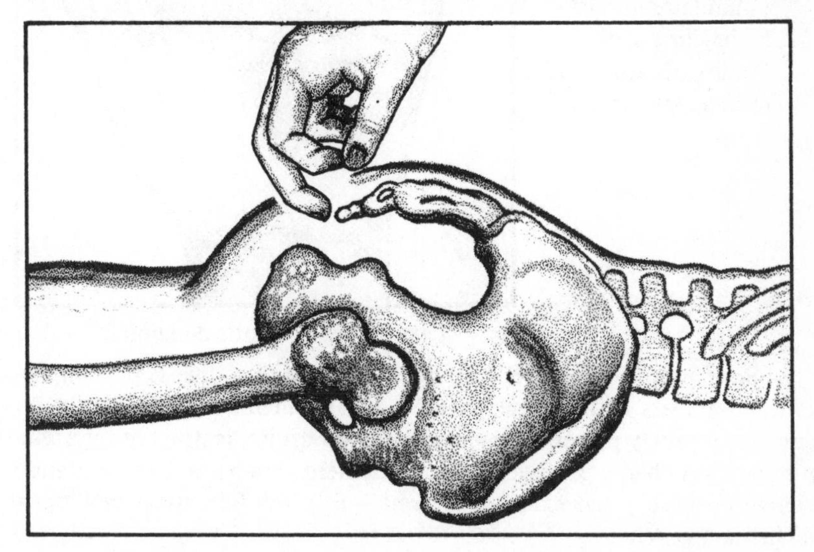

Position du majeur de la main droite à l'extrémité du coccyx.

sur le corps. Pour ceux qui souffrent du dos, cet exercice s'avère remarquablement bénéfique, aussi chez une femme en cours d'accouchement, et pour détendre un malade.

Voilà un mouvement particulier qui complètera à merveille une session générale d'équilibrage polarisant.

Pourquoi se servir du majeur ?

Chacun de vos doigts porte une charge :

- l'auriculaire est positif
- l'annulaire négatif
- le majeur positif
- l'index négatif
- le pouce neutre.

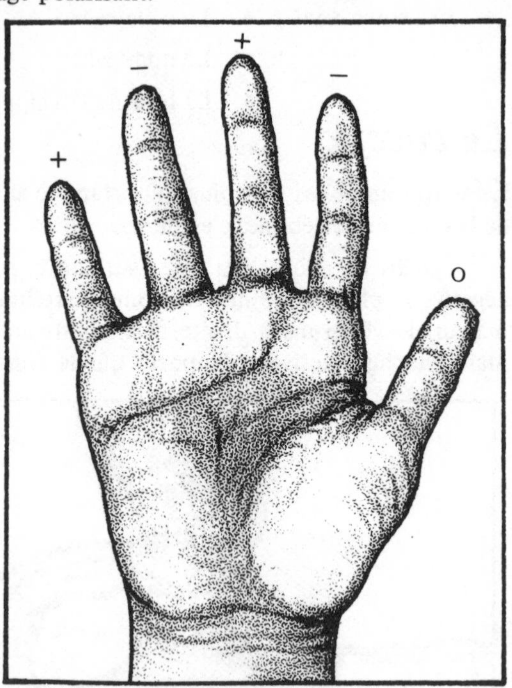

Les charges des doits de la main.

Pour pouvoir envoyer le courant de charge positive le plus important au travers d'une zone chargée négativement, telle la région du coccyx, il faut y placer le majeur de la main droite, le doigt qui porte la plus grande charge positive. Réciproquement, pour une aire de grande charge positive – par exemple le front – il faudra faire usage de l'index de la main gauche.

Ces indications théoriques sont détaillées dans les ouvrages du Dr R. Stone.

Ne jamais mettre en œuvre la région du coccyx avec les personnes soumises à une tension artérielle élevée ou sujettes à l'épilepsie.

Voici quelques excellents exercices prenant en compte le coccyx :

Premier exercice : – La personne doit reposer sur son flanc gauche. Du bout du majeur de la main droite massez et activez avec beaucoup de délicatesse l'extrémité même du coccyx. Votre main droite peut aussi vibrer doucement. Quant à votre main gauche, elle repose simplement sur la nuque. Bercez légèrement la personne pendant assez longtemps en vous servant des paumes des deux mains comme points d'appui. Puis, cessez tout mouvement et sentez la force-de-vie circuler au travers de vos mains demeurées en place.

Commentaire : Cet exercice a un effet calmant. Il relâche les tensions de la colonne vertébrale. Pour ce, il est bon de le pratiquer avec la séance générale. Toutefois, n'oubliez pas que toute amélioration des problèmes de dos exige environ vingt-quatre heures avant de se manifester vraiment.

Pour atteindre la pointe du coccyx, le contact avec la peau est indispensable. La personne doit se dévêtir suffisamment pour le permettre. En effet, le meilleur résultat s'obtient en plaçant le bout du majeur exactement sur la pointe du coccyx, Comme cette zone voisine l'anus, si vous le désirez, par raison d'hygiène, entourez votre doigt d'une fine gaze. En général, la région du coccyx est sensible et douloureuse, par conséquent, abordez-la avec douceur.

Deuxième exercice : – Le patient se met à plat ventre. Vous placez le majeur de votre main droite à la pointe du coccyx, les autres doigts de la même main reposant sur ses fesses, et de votre main gauche vous activez les points sensibles localisés dans le dos tout en berçant de la main droite.

Commentaire : De part et d'autre de la colonne vertébrale, à environ 1,5 cm vous découvrirez souvent des points très sensibles. Vous pouvez activer en même temps ceux qui encadrent une vertèbre en utilisant le pouce et l'index de la main gauche.

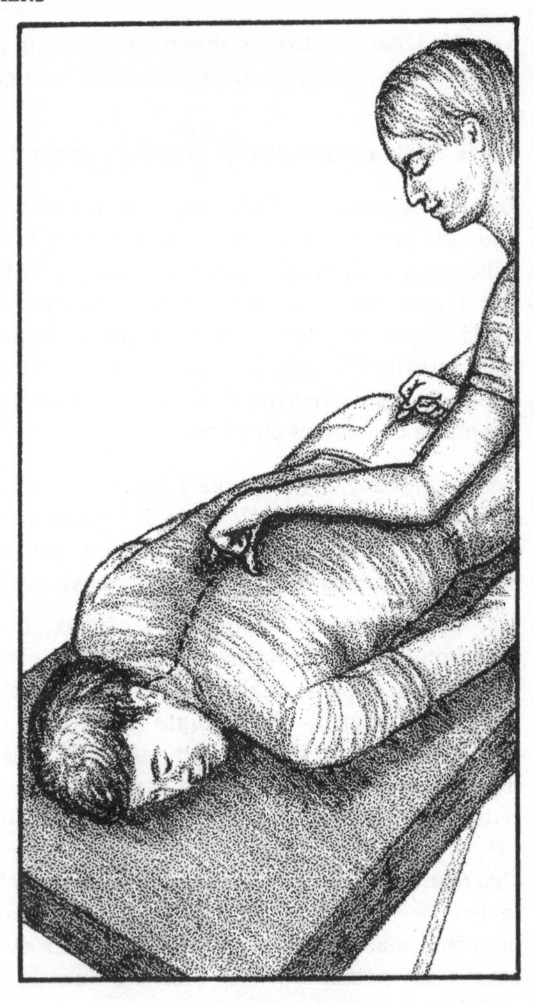

Polarisation de la force-de-vie le long de la colonne vertébrale

Le bercement doit, comme toujours, être un mouvement doux et régulier. Une fois terminé, vous devez laisser vos mains en place aussi longtemps que vous sentirez le passage de la force-de-vie.

Cet exercice conduit à un relâchement des régions contractées du dos, et à l'équilibrage des organes correspondants.

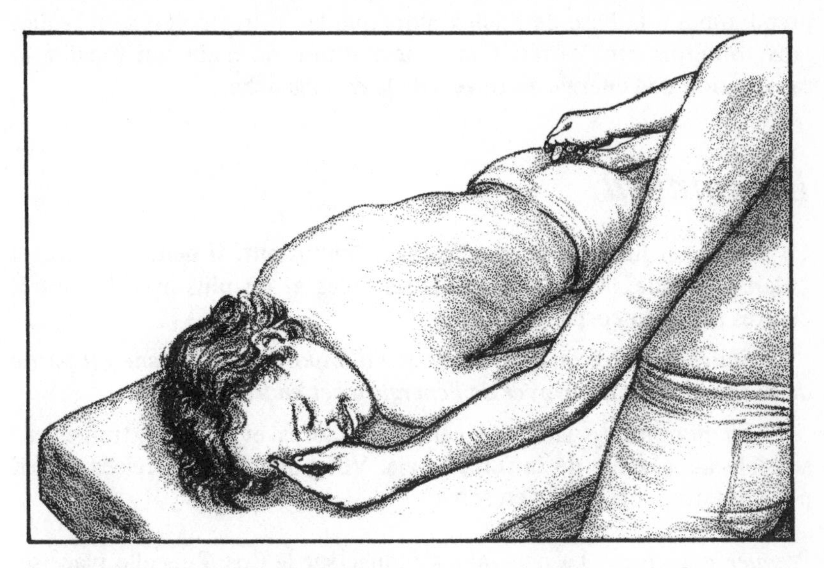

Polarisation de l'énergie entre le coccyx et le centre du front.

Troisième exercice : – Une fois encore, le majeur de la main droite va prendre place à l'extrémité du coccyx, et votre main gauche active les points sensibles à la base de l'occiput. Le bercement de la main droite peut être mis en œuvre.

Commentaire : Ici, deux centres dynamyques sont reliés. L'effet de cette position est d'une puissance remarquable. Il permet d'équilibrer la force-de-vie dans la colonne vertébrale et tous ses organes réflexes. Chaque fois que vous propulserez de l'énergie ainsi, vous constaterez une amélioration des douleurs du dos. Le bercement se fait simplement de la main droite.

Quatrième exercice : – Placez-vous à gauche de la personne allongée sur son ventre et la tête tournée vers sa gauche. Du majeur de votre main droite effectuez le contact avec la pointe du coccyx pendant que l'index de la main gauche se place à 1,5 cm du centre du front.

Commentaire : Votre index ne touche pas le front. Votre pouce gauche prend appui à la base de l'index alors que les autres doigts sont repliés sans toutefois être serrés. C'est une position de main qui focalise la canalisation de l'énergie au travers de la main gauche.

Le nombril

Ce centre est lui aussi particulièrement important. Il peut être relié et polarisé par de nombreux points sensibles et de plus avec les autres centres actifs du corps.

Souvenez-vous qu'afin d'agir sur n'importe quel organe ou partie du corps, il suffit d'envoyer de l'énergie à cet endroit.

Le nombril se situe au centre du corps et il est extrêmement sensible au passage de la force-de-vie. Voici quelques exercices choisis pour montrer comment s'en servir :

Premier exercice : La personne s'allonge sur le dos. Puis elle place ses pieds l'un contre l'autre, les genoux étant alors fléchis. Votre main droite saisit ensemble les deux gros orteils pendant que votre main gauche repose sur le nombril.

Commentaire : Cette position fait circuler un fort courant énergétique au centre du corps. Il favorisera l'amélioration de tout désordre fonctionnel dans la partie centrale et basse de la région pelvienne. Tant que vous ressentez de l'énergie dans vos mains, laissez-les en place.

Deuxième exercice : De votre main droite appliquez une poussée sur une des faces de la cheville de l'un ou de l'autre des pieds. Votre main gauche repose sur le nombril.

Commentaire : Voici un excellent exercice pour les problèmes de la basse partie du pelvis. Avant d'intervenir, assurez-vous d'avoir une position de votre corps détendue et confortable, de façon à avoir des positions de main valables.

Troisième exercice : Frictionnez vigoureusement vos mains, puis placez votre main droite sur le nombril, le pouce exactement dessus n'y exercera aucune pression. Votre main gauche couvrira la nuque.

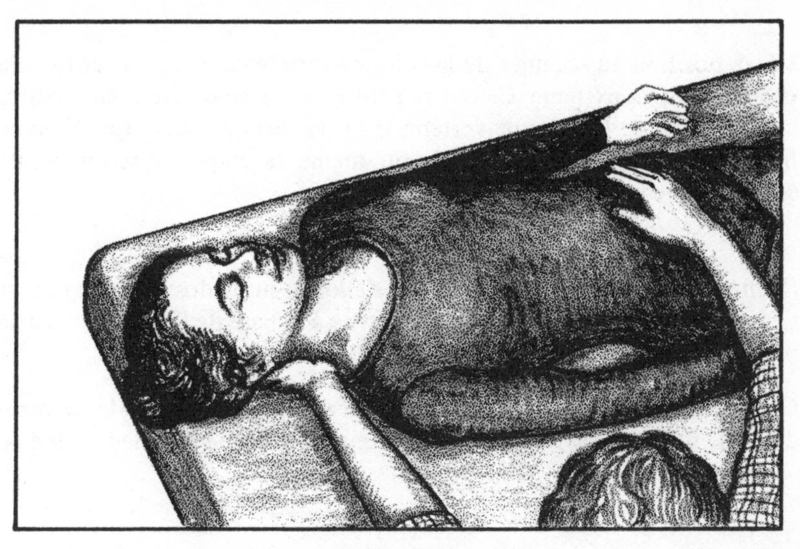

Position nombril et nuque.

Commentaire : C'est une position très facile à réaliser. Cet exercice est très réconfortant, il facilite la détente et il favorise tous les organes situés entre les zones de contact des mains.

Quatrième exercice : La personne repose sur son flanc gauche. Placé derrière elle, vous posez le majeur de votre main droite à la pointe du coccix, et votre main gauche affleurera sans pression la région du nombril.

Commentaire : Cette position est bénéfique pour toute la région pelvienne traversée par la force-de-vie, donc surtout pour les femmes enceintes ou lors de leur accouchement, mais aussi pour tous ceux qui ont des problèmes des voies urinaires ou des autres organes du petit bassin.

La base de l'occiput

Vu sa position au sommet de la colonne vertébrale, l'occiput porte une charge positive extrême. Ce centre peut être mis en œuvre pour faciliter la relaxation de la colonne vertébrale et des organes du corps. Dans ce but, reliez la base de l'occiput, ou même la nuque, avec les points sensibles que vous avez localisé.

Premier exercice : Votre compagnon s'allonge sur le dos. Frictionnez vos mains, puis placez votre main gauche à la base de l'occiput et sur la nuque, et de la main droite exercez le Bercement du ventre.

Commentaire : Ce mouvement sera bénéfique pour tout le système digestif, pour la respiration, pour le cœur et la partie supérieure du dos.

Deuxième exercice : Avec cette fois-ci une position à plat ventre, placez votre main gauche en travers, à la base de l'occiput, et de la main droite stimulez les points sensibles des pieds, des mollets, des jambes, du dos, surtout à proximité des principales articulations.

Commentaire : Il se présente bien des voies pour canaliser l'énergie tout en la polarisant. Chaque point sensible, une fois polarisé, dégage dans le corps de l'énergie auparavant bloquée. Cette énergie polarisée se répartira naturellement pour réagir au mieux, c'est-à-dire où elle sera utile pour y agir comme il faut. Votre seule action est de libérer cette force-de-vie.

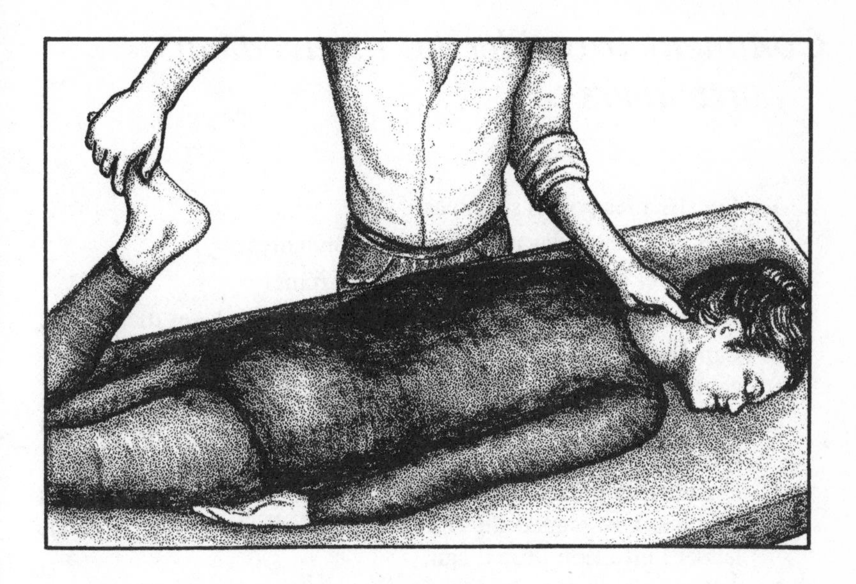

Travail sur un “grand courant” entre le pied et l’occiput.

Troisième exercice : Votre patient s’allonge sur le ventre. Posez votre main gauche sur l’occiput, et de la droite localisez les points sensibles du fessier.

Commentaire : En suivant n’importe quel côté des organes génitaux, vous détecterez une arête osseuse, la base de l’os du publis. Là, il existe souvent des points sensibles. Ne confondez pas avec l’épais tendon placé juste au-dessus du pubis. Pour bien traiter cette région, la position allongée sur le dos est préférable.

Cet exercice se révèle très efficace puisque le travail a lieu entre un point fortement positif et une zone de forte charge négative.

Comment travailler les mouvements particuliers

1. Localiser les points sensibles.
2. Identifier les zones réflexes correspondantes.
3. Travailler sur les points les plus importants.
4. Les polariser en utilisant les circulations verticales et diagonales.
5. Canaliser de l'énergie pour lui faire traverser les zones ou organes sensibles manifestant un blocage évident.
6. Se servir des centres dynamiques en les reliant aux points sensibles particuliers.
7. Terminer la polarisation énergétique en pratiquant les exercices concluant la séance de "l'un-à-l'autre". Il faut innover, créer, laisser l'intuition libre d'agir.
8. Offrir au bénéficiaire de la séance, une fois celle-ci achevée, un grand verre de boisson fraîche ou une tisane.

N'oubliez jamais qu'une série de séances conduira à de bien meilleurs résultats qu'une intervention occasionnelle. Dans les conditions naturelles, la force-de-vie emprunte des circuits bien définis. Par conséquent, votre action se réduit uniquement à faire traverser par cette énergie les zones de blocage.

La force-de-vie se chargera du reste.

L'amour : un merveilleux guérisseur

Siècles après siècles, nos ancêtres ont loué l'amour,
ce merveilleux guérisseur.
L'amour active la force-de-vie.
S'il n'y a plus d'amour,
La force-de-vie s'arrête
et le corps marquera cet arrêt.
Point n'est besoin d'essayer d'aimer
ou de susciter l'amour
car l'amour, c'est notre nature essentielle et vraie.

QUATRIÈME PARTIE

Le cercle polarisant

Dans l'évolution de la méthode de polarisation énergétique le Cercle Polarisant apparut en 1978 tel une réelle nouveauté.

Mettant en œuvre des techniques d'imposition des mains sans contact et sans pression, il évite toute douleur. Les enfants s'amusent en le pratiquant. Sa simplicité est telle qu'on peut l'enseigner dès l'âge de six ans pour, en quelques minutes d'apprentissage, obtenir des résultats parfaits.

Quant à son impact, le Cercle Polarisant se révèle très puissant, plus puissant même, sur certains sujets, qu'une session complète d'équilibrage énergétique de "l'un-à-l'autre".

Pour faire le Cercle, il faut six personnes. Elles permettent de créer un circuit canalisant tout leur amour vers une septième personne. Cette dernière devient centre du Cercle; elle n'a qu'à se laisser aller, décontractée, respirant profondément, disponible pour une expérience sensitive particulièrement accusée.

Le Cercle peut s'organiser autour d'une personne allongée par terre. Toutefois, pour accorder à chacun des participants une position confortable et facile à conserver, il est préférable de le pratiquer autour d'une table de massage où s'allonge sur le dos le bénéficiaire.

"OM", ce phonème sanscrit bien connu et en usage en Inde depuis des millénaires, me semble être un son dont l'effet vibratoire induit une détente harmonique. En conséquence, je conseille vivement à chacun des participants du Cercle de chanter le OM pendant cet exercice. Le résultat est meilleur. Il faut le chanter en demeurant longtemps sur le O et très peu sur le M, tel que "OOOOOOOOOOOOOOOOOOOOOMM".

Au moment où toutes les voix s'harmonisent, le "OM" s'amplifie, son effet s'intensifie.

La personne centre du Cercle ne chante pas le "OM", elle écoute du corps tout entier et se laisse pénétrer par ces bienfaisantes vibrations.

Les positions du cercle

Premier participant : En bout de table, son rôle est de donner selon le "Berceau" (Exercice No 1). Ses mains n'auront pas de contact avec la tête de la personne, elles devront être bien détendues, les pouces à hauteur des oreilles, l'index et le majeur allongés en descendant le cou.

Deuxième participant : Il se place à hauteur de l'épaule droite du bénéficiaire. Il pose délicatement sa main gauche sur le front, et sa main droite bien ouverte sous la cage thoracique, au centre du corps, sans exercer de pression.

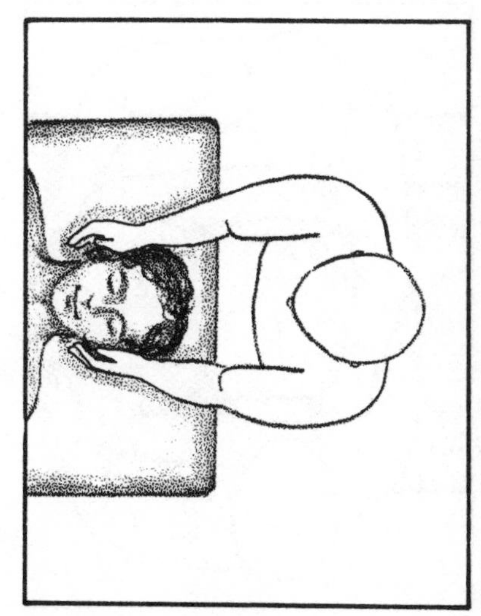

Position 1

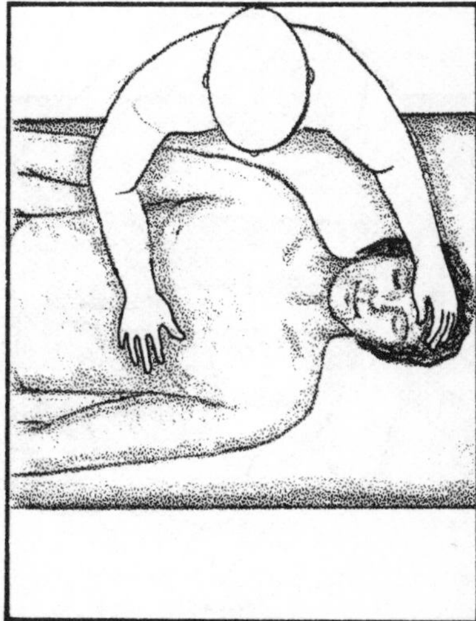

Position 2

Troisième participant : Lui s'installe face à la hanche droite de la personne. Il pose sa main droite sur la hanche gauche, et sa main gauche sur l'épaule droite (voir exercice No 17).

Quatrième participant : Juste en face du précédent, il prend la position symétrique.

Cinquième participant : Situé face au mollet droit de la personne, il saisit de sa main droite le pied gauche, et de sa main gauche lui prend la main droite (voir exercice No 16).

Sixième participant : En face du cinquième participant, il prend une position symétrique.

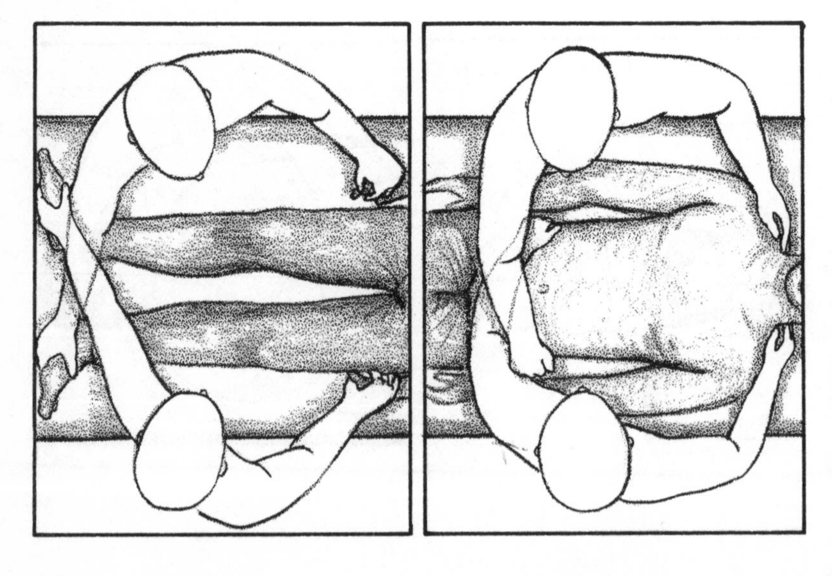

Positions 3 et 4 Positions 5 et 6

Vue aérienne du Cercle Polarisant.

Comment pratiquer le cercle polarisant

1. Il faut conseiller au bénéficiaire une détente complète qu'il obtiendra en respirant douze fois lentement et profondément, tout en s'abandonnant chaque fois un peu plus.

2. Maintenant, les participants se frottent les paumes des mains l'une contre l'autre pendant au moins une demi-minute. Cette préparation est très importante, il ne faut pas la négliger. Donnez-y toute votre attention.

Placez les paumes de vos mains à quelques centimètres des paumes des mains de la personne à côté de vous. Lorsque vous ressentirez une forte énergie dans vos mains, il sera temps de commencer.

3. Prenez la position qui est la vôtre tout en faisant en sorte de n'avoir de contact qu'avec la personne allongée.

4. Les troisième et quatrième participants d'un commun accord exercent un bercement agréable et régulier du bassin du bénéficiaire, en prenant garde de ne pas entraîner dans le mouvement les épaules.

5. Tous les participants entonnent le "OM" bien conscients qu'ainsi ils manifestent leur amour et le donnent. Pendant cinq à quinze minutes le bercement et le chant s'harmoniseront.

Les séances les plus longues se révèlent aussi les plus satisfaisantes. Laisser votre commune intuition en décider.

6. Lorsque cesse le "OM", les mains restent en place, mais sans relâche transmettez votre amour à la personne bénéficiaire du Cercle.

Alors, elle ressentira un flot d'énergie la traversant impétueusement, et vous, les donneurs, sentirez avec une variable intensité selon chacun le passage de la force-de-vie dans vos mains. Tant qu'elle circule, ne bougez pas. A son interruption, l'effet majeur aura été obtenu.

7. Levez vos mains de quelques centimètres (2 à 8) au-dessus de l'endroit du corps où elles reposaient. Cherchez la position correspon-

dant à la plus forte sensation de flot énergétique, et tant qu'elle persistera, restez-y.

8.Lentement ôtez vos mains. Laissez le récipiendaire reposer aussi longtemps qu'il le désire. Quant à vous, allez passer vos mains à l'eau froide après les avoir secoué fortement vers le sol afin d'assurer la mise à la terre, donc l'élimination, de l'énergie statique accumulée sur vous. Ses manifestations claires peuvent être des sensations de lourdeur, d'épaisseur et de glonflement des mains.

9. Offrez à la personne ainsi traitée un grand verre d'eau fraîche, de jus de fruit, ou une tisane, selon son désir.

L'intégrité de la nature

"Tant qu'il n'aura pas réussi à fabriquer la réplique parfaite d'un seul brin d'herbe, la Nature pourra se gausser de la pseudo-connaissance scientifiques de l'homme. Les remèdes chimiques jamais n'auront un effet comparable à celui des produits de la Nature : celle vivante des plantes, aboutissement de l'activité du soleil, mère de toute vie."

Thomas Edison

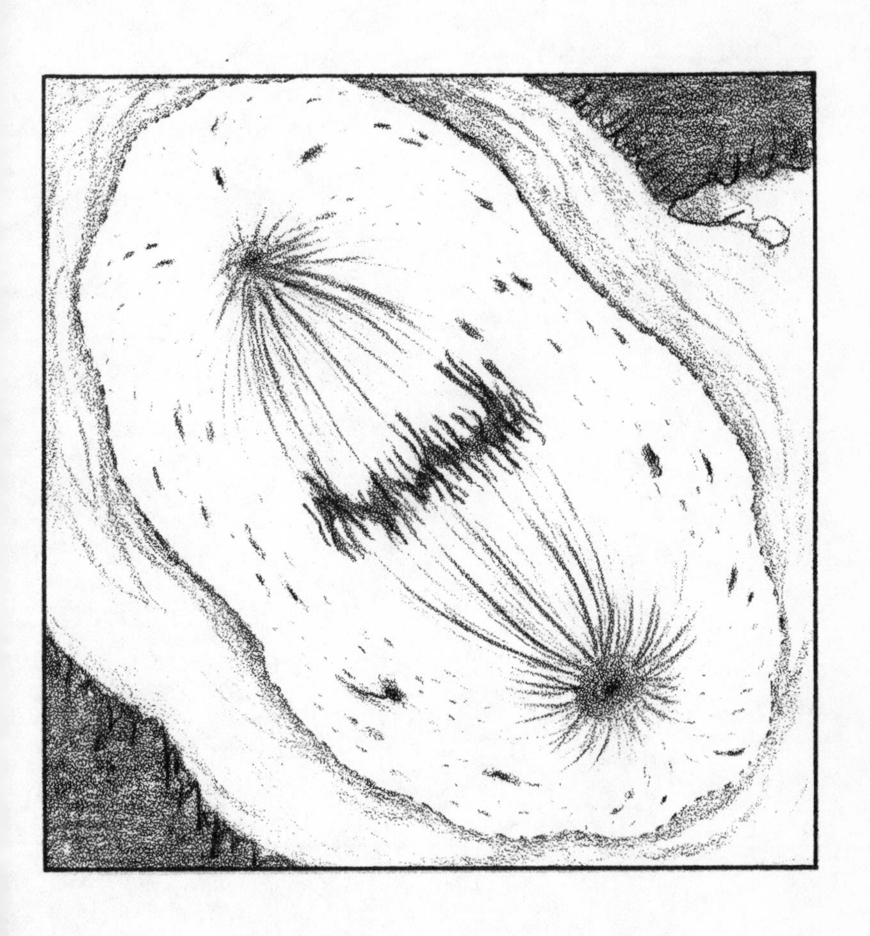

CINQUIÈME PARTIE

Comment se soigner naturellement avec la source de vie

La cellule

Tout être vivant est constitué de cellules. “Chaque cellule du sang, chaque corpuscule est en lui-même un complet univers.” déclarait Edgar Cayce dans son ouvrage “Diététique et Santé”.

Le corps humain ne contient pas moins de 100 trillions de cellules. Chaque cellule possède environ 100.000 gènes différents. Les gènes sont de longues chaines d’ADN formées en spirales et détentrices d’une exacte mémoire génétique codée du corps tout entier. Cela signifie donc que chaque cellule, pourtant microscopique, a une carte génétique de la totalité du corps humain lui-même pourtant constitué 100.000.000.000.000 de cellules vivantes, sachant se reproduire et se soigner.

Les molécules d’ADN sont d’une finesse telle et d’un assemblage en spirale si compact, que si on imaginait dérouler toutes les molécules d’ADN du corps, les mettre bout à bout, elles constitueraient un fil de 120 milliards et 400 millions de kilomètres, assez pour aller et revenir 400 fois de la Terre au Soleil.

Il n’en demeure pas moins que tout cet ADN du corps tient dans un cube de la taille d’un glaçon tel ceux que vous mettez dans vos boissons.

Au niveau moléculaire de chaque cellule, à tous moments se réalisent des milliers de changements. Certains d’entre eux s’effectuent, nous le savons, en moins d’un milième de seconde.

Le désir de comprendre la complexité et la précision d'arrangement d'une seule cellule requiert une grande humilité intellectuelle.

Cessez cette lecture, je vous demande de penser à ce que vous venez d'apprendre.

Médecine moderne et conscience d'une santé globale

La médecine moderne se caractérise par la pratique de diagnostic et le traitement des affections. 50 000 maladies ont été reconnues. Pour tout connaître sur l'état du malade, on étudie la maladie.

Par contre, les praticiens concernés par la "santé globale" ont une autre approche. Pour eux, le soin se détermine par l'étude de la santé et de la globalité de l'être humain. D'un point de vue global, une personne est en pleine et totale santé uniquement lorsque toutes ses parties : corps, intellect, émotions et esprit, sont équilibrées.

Afin de parfaitement connaître la santé, il faut observer les gens en bonne santé. En médecine globale, l'intervenant concentre son attention sur les soins préventifs, les traitements naturels et la prise en charge par chaque individu de sa propre santé.

En général, lorsqu'une personne a un rhume, elle, ou son médecin, se dit : "Comment se débarrasser de ces symptômes désagréables ?".

En fait, les symptômes signalent une condition de déséquilibre et manifestent l'action du corps pour revenir à son état normal.

Faire disparaître les symptômes n'est que la vraisemblance d'une guérison, et constitue une apparence trompeuse car en traitant les effets, on laisse de côté la cause véritable.

Si, par contre, on se pose la question : "Pourquoi le corps a-t-il choisi d'éliminer ces glaires, ou de provoquer une élévation de température ? Comment pourrions-nous redonner aux cellules leur santé ?"

L'infinie complexité du corps signale une sagesse incompréhensible du seul intellect.

Les remèdes chimiques stimulent ou suppriment l'action récupératrice des cellules.

Par ailleurs, notre connaissance des remèdes découle simplement d'une évidence toute empirique, c'est-à-dire résulte seulement des expérimentations et des observations cliniques de l'effet de chacun d'eux.

Les médicaments ne guérissent pas, seule la cellule peut se guérir.

Il est préférable de respecter la sagesse de la cellule. Nous créerons un milieu adéquat pour nos cellules, elles se guériront elles-mêmes.

Néanmoins, pour être juste, la médecine moderne mérite aussi notre respect. Elle réussit à aider dans les cas les plus critiques. Qu'il s'agisse de handicaps congénitaux, de maladies infectieuses, d'accidents, et de bien d'autres problèmes de santé, la médecine allopathique et la chirurgie accomplissent des merveilles, quasiment des miracles.

Cependant, à longue échéance, la prévention se montre plus facile, moins pénible, beaucoup moins onéreuse, et bien plus efficace que l'indispensable intervention au moment où la situation est devenue critique.

Acceptons que :

- *Il est de la nature du corps de se soigner lui-même.* La pulsion de conservation est une force biologique intense, et le corps humain fera tout pour se maintenir vivant, donc guérir.

- *La santé comme le soin doivent se produire au niveau de la cellule.* Pour avoir des tissus sains, il faut avoir des cellules saines.

- *Dans un milieu favorable, les cellules se guériront et se reproduiront.* A l'image d'une plante qui a besoin de lumière solaire, d'un bon sol et d'eau, les cellules ont quelques exigences propres.

Pour créer ce milieu favorable, il est nécessaire d'avoir :

- des pensées et des sentiments nobles et purs,
- une nourriture de qualité supérieure,
- une activité musculaire régulière et soutenue.

La qualité des pensées et des sentiments

L'équilibrage énergétique polarisant constitue une méthode efficase pour se recharger en force-de-vie de manière à harmoniser nos états physique et émotionnel. Pour garder la santé, il y a plus encore à faire. Afin d'assurer la persistance des résultats obtenus, il est indispensable de cerner les raisons du déséquilibre. Il peut avoir pour origine des conditions de travail, les relations affectives et aussi le mode de vie. Obtenir d'une personne contractée un certain calme est déjà un résultat appréciable. Cependant, si elle désire guérir, elle doit corriger les causes de son déséquilibre.

Notre équilibre émotionnel est de toute première importance. Nos pensées et sos sentiments interfèrent avec notre santé. La médecine psychosomatique a bien montré comment la plupart des maladies sont mentalement induites par le malade. Ainsi, en période de choc émotionnel, il n'est pas rare qu'une personne devienne malade. Par exemple, un couple âgé marqué par le décès de l'un se signale peu après par la disparition de l'autre. Il y a ceux qui, lorsqu'ils abordent leur retraite n'arrivent plus à développer une activité signifiante à leurs yeux, s'ennuient, succombent à la dépression, parfois à la maladie, et dans certains cas se laissent mourir.

D'un autre côté, qui n'a pas remarqué combien les gens "revivent" lorsqu'ils se découvrent aimés ? Leurs douleurs physiques s'évanouissent, leur teint s'épanouit pour en quelque sorte manifester leurs meilleurs sentiments intérieurs.

Heureux et actifs, nous sommes rarement malades. Attitudes et émotions ne se répercutent pas uniquement sur notre santé, elles conditionnent notre espérance de vie. Il s'avère donc indispensable de favoriser des attitudes et des émotions de grande noblesse et pureté.

"Pourquoi la tension émotionnelle affecte-t-elle notre santé ?" demandent la plupart des gens.

En première approche, il faut comprendre que nos pensées causent des changements physiques au niveau de la cellule, *car les effets de toute pensée et de tout sentiment résonnent dans chacune de nos cellules.*

L'état somatique provoqué mentalement est réel. Le pouvoir de la force-de-vie, c'est l'amour. On déclare souvent que la sensation de "tomber amoureux" rend pétillant et "gonfle" la personne. Ce sentiment excitant de bonheur est un état d'ouverture permettant à la force-de-vie de librement circuler dans tout le corps. L'amour n'est-il pas, selon le dicton, le meilleur des remèdes.

Dans une situation de contrariété affective, la force-de-vie s'engorge, et alors le corps réagit.

Lorsque nous sommes calmes et optimistes, la circulation de la force-de-vie s'effectue pleinement, avec pour résultat non négligeable une excellente santé, une grande disponibilité d'énergie et un bonheur envahissant. A l'inverse, des sentiments haineux ou dépressifs font obstacle à la force-de-vie.

Que vos pensées, vos sentiments soient chargés d'amour ou de haine, du passé, du présent, du futur, des autres ou de vous-même, toujours vos cellules en ressentiront individuellement la vibration résultante, et de cette résonance dépend votre santé.

Tout à fait naturellement, nous prenons ce qui se présente à notre pensée. Il faut savoir que ces messages sont marqués du conditionnement acquis au travers de la vie passée. Cet état de conditionnement peut être dépassé si volontairement nous choisissons d'en sortir. Des moyens pour y arriver sont à notre disposition. En voici quelques-uns dont j'ai fait bon usage :

AYEZ DES PENSEES POSITIVES : Observez clairement les moindres de vos pensées. Exactement comme si vous regardiez très attentivement l'image de votre téléviseur. Vous n'adhérez pas à tout ce qui se présente sur le petit écran ! . . . Alors, rien ne vous oblige à croire tout ce qui se présente à votre esprit. Ce que nous ressentons à notre propos même se propose tel un courant dominant dirigeant notre vie, et ce sont nos croyances qui assurent pour nous la structure de la réalité. Un homme certain de plaire sait qu'on doit l'aimer. C'est cette image de lui-même qu'il projette à tout moment. Les autres, par la façon dont ils agissent envers lui, conduiront à l'affirmer dans son attitude. L'inverse est tout aussi vrai. Il ne faut pas vous identifier, ou vous sentir victime, de systèmes de pensée déjà usés et rapiécés.

Vous pouvez choisir vos pensées. N'hésitez pas à vous poser la question : "Cette pensée, me conduit-elle à l'amour et à la paix en moi-même ?"

Si c'est le cas, formidable ! Sinon, sachez que vos pensées servent à apprendre bien des choses sur vous-même, entre autres celles qui doivent changer.

Plus vous vous attachez à une pensée, plus elle a de force, et plus vous vous y attacherez. Prenons, par exemple, la pensée suivante : "Je ne plais pas aux autres." Si vous la prenez pour argent comptant, elle pèsera une tonne de désespoir. Pour sortir vivant sous cette inutile charge dont vous avez accepté le port, une seule issue, l'autre branche de l'alternative : accepter avec gratitude et dire : "Merci, pensée. Tu viens de me révéler combien dans le passé j'ai été formé à tout croire. Merci aussi de m'avoir hier protégé dans de difficiles rencontres. Merci encore de m'aider à percevoir ce manque d'amour de moi-même, car maintenant je peux mieux comprendre, aimer, pardonner moi-même et les autres. Néanmoins, de toi, pensée, je n'ai maintenant que faire; merci encore, et adieu."

Le vrai remède pour faire disparaître la tension : la gratitude.

Car, libre de cet esclavage de vos pensées, vous pouvez bien vous laisser aller à plus de tranquillité. Ne croyez plus aux images adverses que vous projetez de vous-même. Leur vérité n'existe que parce que vous la créez. *Vous* n'êtes pas les pensées qui vous traversent, car *vous* avez tout pouvoir de retenir une pensée ou bien de l'abandonner.

Ne restez pas esclave de votre conditionnement et de l'apprentissage imposé pendant votre enfance.

Créez en toute clarté votre propre et positif élan de pensée. Rapidement la réalité de vos pensées personnelles supplantera celle de vos anciennes pensées acquises. Les problèmes d'aujourd'hui nous permettent de grandir, ils nous enseignent la compassion et le pardon. Nos problèmes nous offrent la précieuse chance de pouvoir à nouveau aimer.

Il nous est possible d'être entièrement responsables de nos vies. Il suffit simplement d'avoir le courage de nous accorder à un état positif de nos pensées. Pour commencer, examinons l'amour que nous portons déjà en nous-mêmes, à nous-même, et que, envers et contre tout, nous porterons toujours. Nous aimons ce que nous sommes, où nous vivons, ceux qui nous entourent et ce que nous faisons. Puis, sachant que nous deviendrons ce que nous pensons, alors pourquoi ne pas nous vivre en tant que personne courageuse, inspirée, ayant réussi, heureuse, en bonne santé et débordante d'amour. Il faut consciemment et activement susciter une pensée positive.

La vie n'est pas dure, elle est un défi. Il n'existe ni erreurs ni problèmes, seulement des chances à saisir pour apprendre.

Etre positif dans sa vie, c'est un choix, et nous possédons tous le pouvoir de considérer chaque situation en tant qu'expérience, apprentissage de notre développement personnel.

AYEZ UN LANGAGE CONSTRUCTIF

La parole exprimée souvent se charge beaucoup plus que la pensée silencieuse. En vous exerçant, vous arriverez à parler d'une manière vraiment constructive afin d'ainsi accompagner des pensées et des actions positives.

SOYEZ EN BONNE COMPAGNIE

Les gens de votre entourage influencent grandement votre vie. Pour vous en rendre compte, observez combien vous changez selon ceux qui vous entourent, parfois optimistes, quelquefois pessimistes. C'est à vous de choisir votre optimisme, votre inspiration, votre vitalité, votre bonheur, et en plus il ne tient qu'à vous de choisir les compagnons qui renforceront ou feront obstacle à vos qualités intrinsèques.

VIVEZ DANS UN MILIEU ADEQUAT

L'atmosphère dans laquelle baigne votre vie l'affecte. Peindre et décorer une pièce peut en changer toute l'ambiance. Il fait bon vivre dans un espace plaisant pour soi-même et ouvert aux autres. Souvent notre milieu de vie exprime nos sentiments les plus profonds. Il est utile de travailler à tous niveaux.

AYEZ DES ACTIONS POSITIVES

Aider et donner sans finalité rend chaque fois meilleur. Si vous savez bien agir, vous savez mieux être. La façon la plus sûre de cesser de vous morfondre à votre propos est d'aller aider celui qui en a vraiment besoin. Avec un peu de réflexion créatrice, vous découvrirez de nombreux moyens d'aider autrui. Par exemple, il est facile d'offrir à des gens malades le temps d'une conversation, un sourire, un disque, des fleurs, et même une lettre. Vous pourriez ainsi vous porter volontaire au service des autres. Vous avez la liberté de saluer l'un et l'autre, d'être amical avec tous, de lire des livres qui vous inspirent et de les offrir à vos connaissances. Dans cet élan, rien ne vous arrêtera. Cependant, n'oubliez pas que l'action anonyme demeurera toujours préférable, pour vous, et pour les autres.

Vous pouvez vous-même modeler positivement votre vie selon vos pensées, vos paroles, votre compagnie, votre milieu et vos actions.

Alimentation et comportement

Pour conserver en vous votre charge de force-de-vie, il est indispensable de vous nourrir sainement et d'avoir un comportement adéquat. Dans le cadre d'une bonne vie, bien manger devient aisé. Le maintien d'un comportement approprié dépend aussi d'une bonne nourriture. Cependant, modifier les habitudes alimentaires depuis longtemps établies comporte le risque de déclencher une certaine anxiété, laquelle pourrait aller jusqu'à contrarier les effets favorables d'un nouveau régime. La meilleure manière d'aborder ce changement sera de vous y guider vous-même sans trop de rigueur et de contrainte. Si une modification du régime alimentaire provoque de l'angoisse ou des troubles physiques, alors n'allez pas aussi vite, laissez le passage se faire à un rythme adéquat.

Chaque jour, appréciez votre amélioration vers une vie et une santé nouvelles.

Les trois principes essentiels pour une bonne hygiène alimentaire sont du domaine du comportement personnel.

1. *Mangez seulement lorsque vous êtes vraiment calme.*

Pour mieux bénéficier des aliments, ne mangez pas si vous vous sentez déprimé ou trop énervé. Il est alors préférable de boire de la tisane ou des jus de fruits.

2. *Dégustez votre nourriture sans jamais la contester.*

Pour la plupart des gens, manger compense l'insatisfaction émotionnelle. Si dans votre assiette quelque chose vous semble mauvais, à tout prendre si vous vous sentez obligé de la manger, mettez-y le plus de plaisir possible. Ce qui est absorbé agréablement se digère facilement. Une telle approche de l'alimentation vous libèrera de vos envies obsédantes, et du même coup de votre sentiment de culpabilité lorsque vous dégusterez avec gourmandise vos mets préférés.

3. *Donnez-vous la liberté de manger selon votre désir et selon votre propre rythme.*

Pour bien aborder un changement de régime, il est important de ne pas se priver de ces gourmandises tant prisées. En effet, se priver de quelque chose en stimule le désir. Nous sommes tous attirés par ce que nous évitons le plus. Par exemple, vous êtes un de ceux qui salivent déjà à l'idée d'une bonne glace au chocolat, mais vous ne vous l'octroyez pas. A chaque hésitation puis rejet, le désir s'accroît. Emotionnellement, vous vivez tel celui qui se prive de ce qu'il désire. Et lorsque vous succomberez à votre envie, vous dévorerez trop vite trop de glace au chocolat, tout en vous culpabilisant de cette faiblesse, "digne d'un enfant" penserez-vous. Tout bien considéré, ce sentiment de culpabilité sera plus néfaste qu'une glace au chocolat dégustée tranquillement au moment désiré.

Si vous saviez pouvoir manger ce qui vous plaît lorsque vous le désirez, jamais vous n'auriez l'impression de faire quelque chose de mauvais pour vous. Faites ce que bon vous semble, sentez-vous bien avec ce que vous faites, et naturellement viendra la modération.

4. *Peu à peu, introduisez des aliments plus naturels dans votre régime.*

Si vous désirez absorber une nourriture plus naturelle au goût plus agréable, il est important de ne pas vous sentir privé d'autre chose. A chacune de vos découvertes alimentaires, appréciez sans jamais regretter une nourriture d'auparavant. En clair, l'arrivée dans votre régime d'aliments sains signifiera que vous mangerez moins ou pas de produits de moindre qualité. Connaître cela peut vous aider à bien vivre ces changements. Une autre façon d'aborder la substitution sera à saisir un jour où vous serez affamé. Si votre désir se porte sur un aliment que maintenant vous considérez inadéquat, voici comment procéder : tout d'abord, assurez-vous que vous pouvez avoir l'aliment désiré, ensuite essayez de voir s'il n'y a pas quelque meilleure nourriture disponible et à votre goût du jour. Par exemple, j'ai envie de glace au chocolat; je réfléchis un peu, et je la remplace par du yogourt avec des fraises que j'aime encore plus.

Ce remplacement par des aliments sains comble des besoins physiques et émotionnels, et conduit à un niveau de satisfaction lui aussi plus élevé.

5. *Pour être assimilée, la nourriture doit être digérée.*

Avant de pouvoir alimenter vos cellules, la nourriture doit être digérée. Des amidons non digérés peuvent fermenter, et des protéines mal assimilées pourriront. Il en résultera une surcharge fonctionnelle du foie et une pollution du corps.

- *Ne mangez que si vous avez faim.*

  Votre corps vous indiquera quand l'alimenter, et seulement alors il sera capable d'absorber efficacement une nourriture. Les sucs digestifs seront prêts à agir. Avant de manger, attendez d'avoir faim. La nourriture prise dans cette condition satisfera plus encore et sera plus facile à digérer, donc plus nourrissante.

- *Mangez modérément.*

  Pour avoir une digestion efficace, il faut manger modérément. L'assimilation sera meilleure et de là découlera une bonne santé. Si vous surchargez le système digestif, il ne pourra pas fonctionner correctement. A chaque repas, essayez de manger un peu moins. Lorsque la vie vous semble excitante, déguster est un plaisir suprême; il ne faut pas en faire le point focal de votre activité, cela n'est pas la fonction de l'alimentation. Les aliments nourrissants procurent la plus grande satisfaction; vos cellules cesseront de vous transmettre le signal : "toujours affamé".

6. *Prenez une nourriture de qualité.*

Les aliments de plus grande qualité sont ceux existant sous leur forme la plus naturelle. Nous avons évoqué l'extrême complexité de la cellule. Lorsque l'homme ose jouer avec sa nourriture, il risque de modifier des choses qu'il ne comprend même pas. Au travers des âges, les animaux et leur alimentation ont évolué ensembles selon un équilibre extrêmement fragile. Pas un seul animal, sinon l'homme, n'a radicalement changé la nature de sa nourriture, que ce soit par traitement par le feu, par les produits chimiques, par les épices, etc. Dans la nature, les animaux se nourrissent de ce qui est disponible autour d'eux, et ce sont des aliments crus, leur état le plus naturel. La plupart ont un régime alimentaire très simple.

La diététique demeure une science balbutiante. Nous avons appris l'existence des hydrates de carbone, des protéines, des graisses, des vitamines, des minéraux, des enzymes, des fibres, et cependant un caractère majeur de la nourriture n'est pas présenté. C'est son essentielle force-de-vie. Quasiment tous les animaux mangent des aliments vivants. Les herbivores se nourrisent d'herbes, de graines et de feuilles. Les carnivores tuent leurs victimes et les dévorent crues et fraîches. Ainsi faisant, les animaux garantissent un maximum de force-de-vie dans leur alimentation. Pour une nourriture de grande qualité, la force-de-vie constitue un élément essentiel.

Par rapport aux aliments préparés, les aliments naturels ont une différence cruciale. Si de nos jours les scientifiques ne perçoivent pas de différences chimiques entre l'acide ascorbique de synthèse et celui existant dans les fruits, il y a quelque chose qui leur échappe. Les diététiciens favorisant le concept de globalité diront qu'il y a là une qualité à découvrir. D'ailleurs, les méthodes actuelles d'examen ne signalent pas une seule différence chimique entre un être vivant et son corps mort. Néanmoins, la différence demeure la force-de-vie, et non la composition chimique. Se nourrir d'aliments frais, donc chargés de force-de-vie diffère d'une conserve, même si leur composition chimique est scientifiquement déclarée identique.

La cuisson, le traitement, la conservation modifient la complexe nature des aliments de bien des façons, entre autres :

- la force de vie est détruite,
- les fragiles enzymes sont détruites,
- les fibres (indispensables pour le système digestif) sont brisées,
- les sucres élémentaires des aliments sont souvent transformés en amidon plus complexes,
- la plupart des vitamines sont détruites,
- les minéraux sont souvent éliminés,
- les huiles naturelles deviennent des graisses saturées.

Une simple manière d'améliorer votre alimentation consiste à graduellement accroître la quantité de fruits et de légumes frais consommés. Tous les jours, mangez au moins une salade composée de légumes et de pousses fraîches. En même temps, réduisez votre consommation de sucre, miel, alcool et aliments raffinés, transformés et conservés.

Il existe de rares ouvrages de diététique bien conçus, par exemple ceux de Paavo Airola et de Bernard Jensen qui tous deux ont grandement contribué à faire mieux connaître le domaine de la nutrition humaine.

Faites Don du Don

Maintenant, puisque vous avez eu la chance
de travailler avec la force-de-vie,

- d'en faire l'expérience,
- d'aider, et d'aimer,

Maintenant, puisque vous savez . . .
. . . il est temps de partager.

Vous avez en main des outils pour accomplir
ce qui jamais auparavant ne pût se faire :
Passer sur le pont de la conscience à la science.

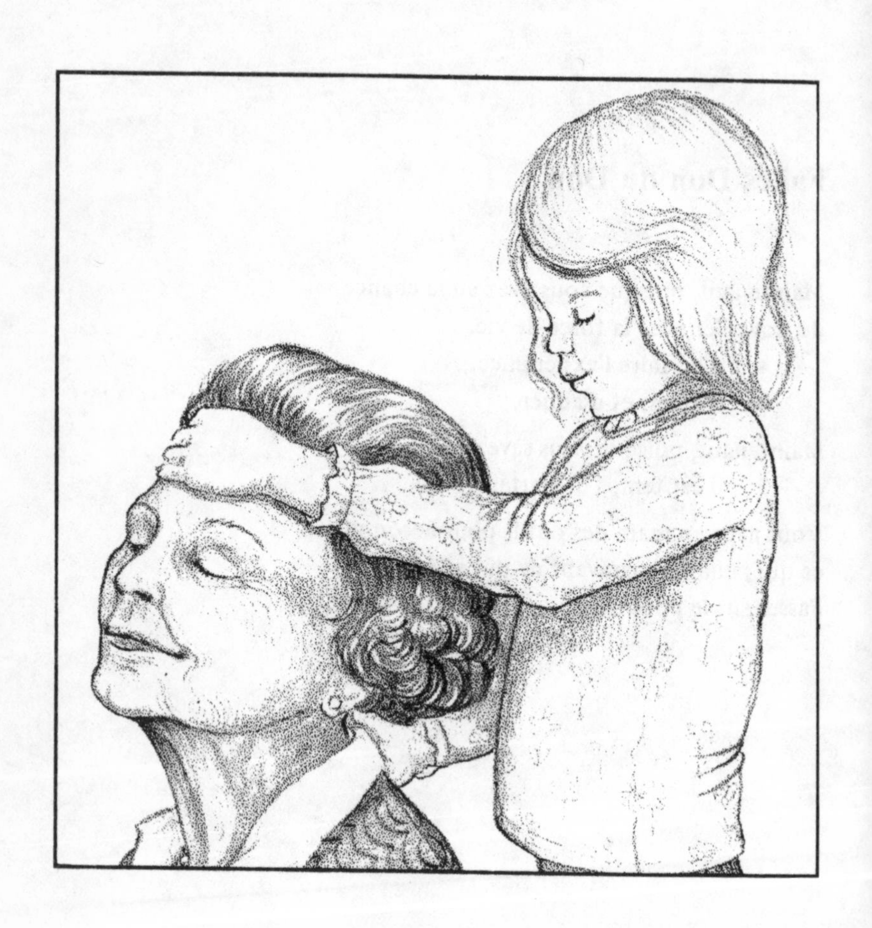

SIXIÈME PARTIE

La science et la force-de-vie

La mise en œuvre de la force-de-vie découle d'une très ancienne connaissance. La science moderne a, jusqu'à il y a bien peu de temps, rejeté ou ignoré son existence, ceci surtout parce que cette connaissance s'associait avec la religion et avec le spiritualisme ésotérique. La physique newtonienne s'applique aux propriétés mécaniques de la matière; cependant, Newton lui-même demeura dans l'incertitude quant aux implications spirituelles de l'invisible force de gravitation qu'il avait exprimée. Malgré cette grandiose incertitude, la médecine opta pour un ralliement à la théorie mécanique. Dans la plupart des écoles de médecine, le corps humain ne fut plus examiné qu'anatomiquement, tel une remarquable machine.

Einstein dégagea sa célèbre formule $E = mc^2$ qui implique que la matière peut être changée en énergie. Pour les thèses matérialistes en vogue, ce fut le signal d'un nécessaire changement. La médecine resta en retrait de cette évolution des idées, car trop attachée à son concept mécanique du corps humain, et surtout trop aveugle quant à la réalité de l'énergie inter-agissante du corps humain. Isolés, quelques médecins, praticiens d'une approche plus globale de la santé humaine – groupe cependant toléré aux USA, mais rarement pris au sérieux par la majorité de leurs collègues – accordèrent toute leur attention à ce concept de force-de-vie.

De nos jours, l'attitude générale subit une radicale modification. En effet, l'évidence de pouvoirs extraordinaires de l'homme s'est imposée. Par exemple, l'activité télékinésique d'Uri Geller, capable de déplacer et de déformer sans contact physique de petits objets de métal, clés ou cuillères, est une action qui a fait l'objet de recherches scienti-

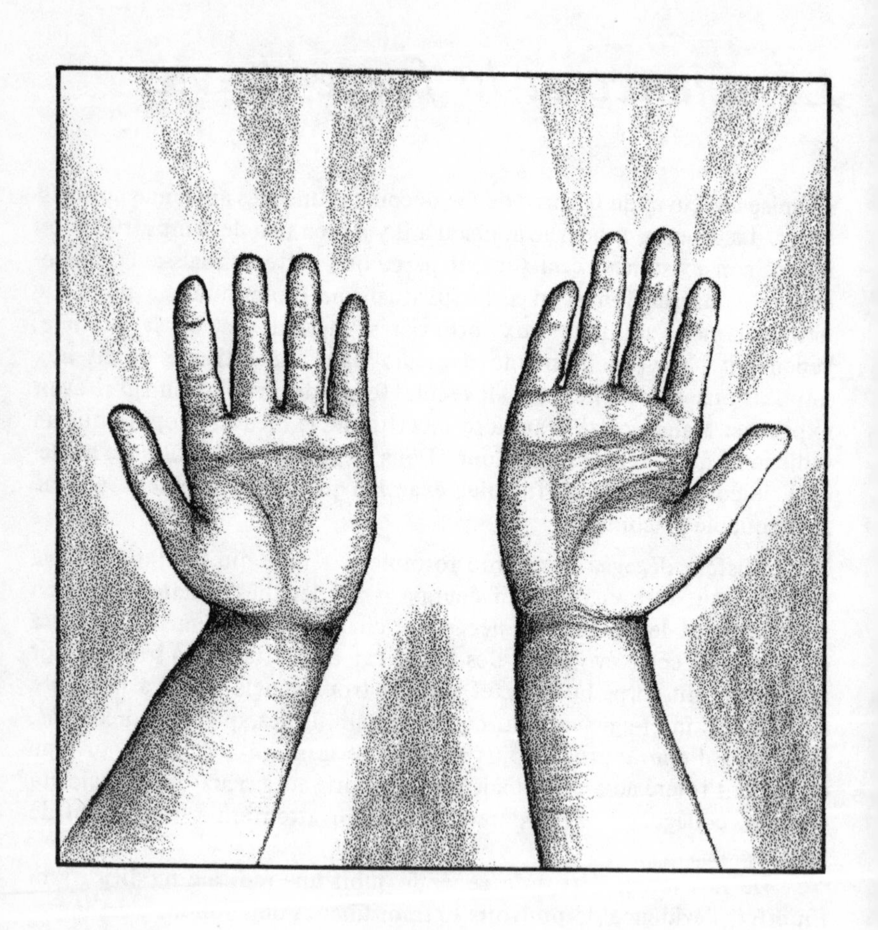

fiques au Stanford Research Institute en Californie, au King's College à Londres, à l'Université de l'Etat du Kentucky, dans les laboratoires du Ministère de la Défense des USA. Il y a aussi Olga Worral, une guérisseuse réputée mondialement, qui a prouvé et fait vérifier par de nombreux laboratoires universitaires sa faculté de provoquer des turbulences dans l'enceinte inaccessible d'une chambre à particules. Il est clair maintenant que certains hommes peuvent utiliser leur force-de-vie pour modifier la matière. D'ailleurs, la publicité faite autour des exploits de Uri Geller a servi à des profanes qui ont confirmé ou découvert leur don de télékinèse.

Si nous considérons la tradition de la guérison par imposition des mains, elle remonte au moins jusqu'aux temps bibliques. Il n'y a pas lieu d'en être surpris puisque la force-de-vie existe depuis que la vie elle-même s'est manifestée.

L'étonnant demeure l'attitude persistante des scientifiques occidentaux, caractérisée par la recherche des propriétés physiques de leur matière et leur dédain des qualités subtiles de la force-de-vie.

Aujourd'hui, Fritjof Capra, spécialiste de la physique théorique sur les particules de très haute énergie, qui a travaillé aux universités de Vienne, de Paris, de Californie (Santa Cruz, Stanford, Berkeley) et de Londres peut écrire : "Il n'y a pas de "choses". Il n'y a que des interrelations." Dans son ouvrage "Le Tao de la Physique"*, il examine comment les relations énergétiques sont à la base des phénomènes "physiques" et "mentaux". D'une certaine manière, il faut en conclure que les scientifiques ont abordé le champ de la force-de-vie, donc on peut espérer que la médecine ne tardera pas à s'intéresser à ce domaine extrêmement passionant.

Aux USA, certains considèrent que la médecine aborde un carrefour critique. Le coût des soins ne cesse d'augmenter, les différents judiciaires entre patients et médecins accusés de pratique négligente ou inadéquate sont de plus en plus nombreux. Cependant, ni les médecins ni les malades ne semblent entrevoir une issue à cette déplorable situation. Il est vrai historiquement que les crises ont pour avantage de dégager la voie pour de nouvelles découvertes. Néanmoins, la plupart

---

* En français, aux Ed. Retz, en anglais, Shambala Publications et Batam Book.

des médecins sont pragmatiques, des gens efficaces ouverts à l'adoption de solutions pratiques des problèmes; on peut donc s'attendre à ce qu'ils considèrent sérieusement la méthode d'équilibrage énergétique polarisant. La force-de-vie étant étiquetée comme "réelle", notre pratique fut en quelque sorte à l'avant-garde de sa mise en œuvre en démontrant comment elle peut résoudre bien des problèmes de santé.

La force-de-vie est une ressource naturelle inépuisable d'inestimable valeur. De plus, elle est gratuite. Les médecins qui en feront usage en conjonction avec les thérapies habituelles ne pourront que noter la plus grande satisfaction de leur clientèle, une réduction des erreurs de traitement, et, accessoirement mais non inutilement, moins de chances de se voir traîner devant les tribunaux. Quant aux malades, il est de leur droit d'attendre un moindre coût des soins indispensables à leur rétablissement, surtout dans les cas les plus critiques. Chacun y trouvera son avantage, les thérapeutes, les gens et les systèmes de sécurité sociale.

Le fondateur de la méthode moderne d'équilibrage énergétique polarisant, Dr Randolph Stone, déclara :

"Les principes de cette méthode pourraient être mis en œuvre comme un facteur fondamental et intelligent de plaisir et de pratique dans tous les domaines thérapeutiques." Avec son potentiel illimité, il apparaît un espoir d'assurer la disparition des souffrances physiques et émotionnelles.

Les applications de cette méthode

Sans trop approfondir, il est facile de suggérer des applications de l'équilibrage énergétique polarisant conduisant à la fois à une amélioration de la santé individuelle et de la santé sociale.

En voici quelques-unes :

- En famille, en tant que pratique préventive, avant une intervention médicale ou chirurgicale, en cas d'urgence ou de crise.
- Dans la pratique médicale, avant et après un traitement classique.

- Dans les hôpitaux, dans le but d'amoindrir la souffrance et surtout l'anxiété des malades.
- Dans les hôpitaux psychiatriques, dans les prisons, partout où des gens sont involontairement confinés dans un espace trop réduit, ils pourraient apprendre à pratiquer et ainsi retrouver et préserver leur bien-être personnel, leur respect individuel.
- Dans les écoles, comme facteur fondamental de l'éducation, et aussi en relation avec l'apprentissage du secourisme. Au lieu de punir les enfants turbulents, les enseignants devraient savoir proposer une séance commune d'équilibrage énergétique, ainsi faire épanouir l'amour de chacun envers tous.

Comment montrer les effets de cette méthode

Parfois, il faut faire face à la demande des sceptiques et ne pas hésiter à montrer l'efficacité de la méthode d'équilibrage énergétique polarisant. Les exercices sans contact se révèlent alors être plus probants :

- le Berceau
- le Bercement du Ventre
- les exercices pour soulager les maux de tête
- les exercices de fin de séance
- le Cercle Polarisant.

Pour avec votre démonstration obtenir les meilleurs résultats, suivez ces quelques recommandations :

1. Pratiquez sur des personnes qui souffrent manifestement, car si les personnes en bonne santé peuvent facilement ressentir les agréables effets de la force-de-vie, chez les premiers l'amélioration de la peine physique ou émotionnelle sera plus évidente et plus valable.

2. Si vous désirez des résultats tangibles, ne pratiquez qu'en vous sentant fort et en bonne santé.

3. Evitez de pratiquer juste après un repas, ou sur quelqu'un qui sort de table. En effet, la force-de-vie nécessaire à la digestion ne sera pas disponible pour le traitement qui en sera réduit d'autant.

L'équilibrage énergétique polarisant (EEP) et les recherches sur la force-de-vie sont des domaines dans lesquels l'homme moderne vient à peine de débarquer. Pour les successeurs de ces explorateurs, bien des découvertes restent à faire. Aujourd'hui se présentent encore des questions sans réponse. En voici qui me paraissent dignes de première considération :

- Peut-on aider quelqu'un à vivre paisiblement les derniers moments de sa vie ? Par exemple en lui donnant la force d'amour du Cercle Polarisant.
- Pourrait-on arriver à contrôler l'évolution du cancer par une série de séances d'équilibrage énergétique ?
- Quelles sont les modifications physiologiques survenant au cours d'une séance d'EEP ?
- Quel effet aurait un programme permanent et global d'EEP sur la conservation d'une bonne santé, en particulier lorsque restaurée suite à des cas de maladie, d'état chronique et de choc émotionnel ?

Deux siècles ont passé depuis que Benjamin Franklin parcourait la campagne américaine en faisant voler son cerf-volant pour capter la force des éclairs. Les éclairs ont toujours existé; mais personne n'avait réussi à les capter. Benjamin Franklin y parvint. Alors, on lui dit : "C'est formidable, Ben ! Mais ton électricité, à quoi donc peut-elle bien servir ?"

La force-de-vie semble être une subtile forme d'électricité sur laquelle nous savons aussi peu que l'on pouvait en dire de l'électricité atmosphérique au XVIIIe siècle.

La mise en œuvre de la force-de-vie pourrait conduire, dans des temps proches, à une nouvelle prise de conscience de l'humanité, transformation encore plus profonde que celle provoquée par toutes les utilisations actuelles et futures de l'électricité.

Nos mains quel don merveilleux

Grâce à nos mains, nous pouvons canaliser
l'amour de nos cœurs et alléger
la souffrance de nos semblables.

Notes autobiographiques :

RICHARD GORDON

L'auteur de cet ouvrage fut un explorateur du monde de la santé dite globale. Remarquable par sa capacité à faire comprendre des concepts relationnels, et à rendre aux gens l'accès à leur propre potentiel, il fit évoluer la méthode classique d'équilibrage énergétique polarisant du Dr Randolph Stone et de ses successeurs en introduisant des mouvements maintenant largement utilisés, par exemple, le Cercle Polarisant.

Ses conférences aux professionnels de la médecine, de la santé mentale, de l'enseignement, et de la prise de conscience globale de la vie humaine, ont beaucoup servi la cause de la méthode. Sa thèse doctorale démontre, en partant des diagnostics cliniques habituels, les applications thérapeutiques de la force de vie.

MARCEL CASTERA-KAHN

Le traducteur de l'œuvre de Richard Gordon fut introduit à l'équilibrage énergétique polarisant en 1975 aux Etats-Unis. De nombreuses années en Amérique du Nord lui permirent de connaître l'important mouvement d'idées et de pratiques de la médecine globale, et les remarquables réflexions du monde scientifique américain face aux données nouvelles sur la vie.

Les Editions Vivez Soleil

Beaucoup de gens croient que la maladie survient par hasard et que la santé consiste surtout à vivre comme un ascète en se privant des plaisirs de la vie !

Au fil des livres et cassettes des Editions Vivez Soleil une autre vision émerge. Oui, il est possible de sortir de l'ignorance, de la peur et de la maladie sans se priver ni se marginaliser. Oui, la santé, ça s'apprend !

Par une démarche personnelle d'information et d'expériences agréables et intéressantes, chacun peut sortir de la prison des habitudes et trouver l'équilibre du corps, du cœur, de la tête et de l'âme qui mène vers le bien-être, l'enthousiasme, la créativité et le bonheur.

A travers leurs collections *SANTÉ, DÉVELOPPEMENT PERSONNEL* et *COMMUNICATION SPIRITUELLE*, les Editions Vivez Soleil présentent les moyens les plus efficaces pour gérer sa vie et sa santé avec succès. Elles montrent la complémentarité de toutes les écoles de pensée et œuvrent pour une société plus harmonieuse, plus agréable à vivre, où la compétition est remplacée par la collaboration, le stress par l'humour et l'amour du pouvoir par le pouvoir de l'amour.

Quelques ouvrages dans la même collection...

Jardiner Naturel

Dr Christian Tal Schaller et son équipe

De nombreux travaux de recherche montrent que les fruits et légumes cultivés biologiquement contiennent 25% de plus de vitamines, d'enzymes et d'oligo-éléments que des végétaux cultivés avec des engrais chimiques. Cultiver et manger des légumes et des fruits de qualité : c'est l'un des secrets de la santé.

Ce livre est un véritable guide pratique et pédagogique. Il démontre les remarquables possibilités du jardinage d'intérieur, qui permet de produire chez soi en toute saison des aliments super-vivants.

Apprendre à masser les Pieds

Docteur Chriatian Tal Schaller

Délivrés de leurs tensions, vos pieds stimuleront de façon réflexe la vitalité de tout votre corps. Massez vos pieds, ceux de votre conjoint, de vos enfants et de vos amis. Partagez avec eux les trésors de bien-être et de santé qu'apportent les massages. Cet ouvrage montre comment apprendre facilement et agréablement les techniques de massage de détente, de réflexologie, d'acupressure et de massage intuitif des pieds.

Visualisation créatrice pour les Enfants

Jennifer Day

Nous pensons constamment en images. La visualisation créatrice est l'utilisation consciente de l'imagination appliquée au quotidien pour atteindre des objectifs, accroître la conscience de soi et améliorer la qualité générale de la vie. Ce guide aide les enfants à conserver cette aptitude naturelle et à l'utiliser pour faire face aux défis de tous les jours; ainsi pourront-ils évoluer, s'épanouir harmonieusement..

Hypnose et Santé

Dr Claude Bernat

L'hypnose est employée depuis l'Antiquité pour ses possibilités thérapeutiques extraordinaires. L'auteur répertorie les différentes techniques, nous révèle les moyens de pratiquer l'hypnose sur les autres et nous fait découvrir qu'elle peut traiter efficacement de nombreuses maladies, bénignes ou plus graves. Cet ouvrage d'une grande clarté rend sa véritable place à cette forme de médecine aux effets rapides et spectaculaires.

Achevé d'imprimer en Mars 1996
sur les presses de Clerc s.a.
18200 Saint-Amand-Montrond
Tél. : 48-61-71-71